国家出版基金项目
NATIONAL PUBLICATION FOUNDATION

《三联经典文库》

第二辑

2012 年国家出版基金项目

三联经典文库

123

民众动员论

李公朴 著

生活·讀書·新知 三联书店

图书在版编目(CIP)数据

民众动员论 / 李公朴著. -- 北京 : 生活·读书·新知三联书店, 2014.1
（三联经典文库第二辑）
ISBN 978-7-108-04756-4

Ⅰ. ①民… Ⅱ. ①李… Ⅲ. ①抗日战争－战争动员－中国 Ⅳ. ①E296.93

中国版本图书馆CIP数据核字(2013)第262653号

123 民众动员论

责任编辑　朱利国
封扉设计　蔡立国
责任印制　李思佳
出版发行　生活·讀書·新知 三联书店
　　　　　(北京市东城区美术馆东街22号)
邮　　编　100010
经　　销　新华书店
印　　刷　北京市松源印刷有限公司
版　　次　2014年1月北京第1版　2014年1月北京第1次印刷
开　　本　787毫米×1092毫米　1/32　印张　4.875
字　　数　72千字
定　　价　18.00元

《三联经典文库》出版缘起

适逢生活·读书·新知三联书店八十华诞，为弘扬传统，接续文脉，回报读者，服务社会，我们决定策划出版《三联经典文库》。

1932 年 7 月，生活书店在上海创办，此后，读书出版社和新知书店相继成立。本文库第一辑、第二辑所选图书，来自于这三家出版单位及其分支机构，以及 1948 年生活·读书·新知三联书店成立后的出版物，始于 1932 年，截至 1951 年，两辑各一百种。此为第二辑，涉及政治、经济、社会、军事、思想文化诸领域，涵盖专著、文集、散文、小说、诗歌、传记、报道等体裁，既有直面现实、追求真理、讴歌真善美、抨击假恶丑的原创作品，又有引介世界各国先进文化、传播新知、开启民智的迻译之作，真实记录了那一代知识分子的思考与探索、理想与愿景和对中华民族文化传承与创新所做出的努力与贡献。

本文库所辑入各书，多为名家名作，在版本方面，以初版一印本或经著译编者审定、修订、增订过的版本为首选，因此本文库又具有较为珍贵的版本价值和收藏价值。

本文库还将编选续辑，使之成为恢弘文化工程。诚挚希望读者给予批评和指正，帮助我们完善编选工作，再现三联经典作品之风采。殊为遗憾的是，由于年代久远，一些原著译编者及其后人未能取得联系并奉付稿酬，诚盼版权所有者与我们联系。祈愿三联前辈所创造的精神财富能薪火相传，为中华文化的伟大复兴增光添彩。

《三联经典文库》编辑委员会

2013 年 8 月

凡　例

一、本文库为重排本，由繁体字竖排版改为简体字横排版。

一、以忠实于原作、整旧如旧为编辑原则，对当时使用的专有名词、外文译名，以及民国时期的语言和特色予以保留。

一、原书注释如旧，编者所出的注释，均以“编者注”标明，以示与原书注释的区别。

一、对原书残缺或字迹漫漶之处，以□示代。

一、对繁简文本转换时的“如右”、“见左”一类，对应改为“如上（前）”、“见下（后）”。

一、对原书中各种错讹脱衍之处，直接订正，不再以其他符号标示。

一、对数字、标点符号的用法，在不损害原文语义的情况下，做必要的规范。

一、本文库各书均前插原书书影、原书版权页和文库版“本书出版说明”。

一、本书出版说明的撰写，以客观中立为原则，扼要介绍本书的内容、版本流转、著译编者的情况。

本书出版说明

本书收录了作者写于 1937 年 10 月左右的十篇文字，用作者自己的话说，这些文字“都不是文章”，而是对战局观察后所写的报告，或是对政府当局提供的建议，或是对参加战地工作的友人们提供的意见和工作方案，或是演讲，或是接受报纸采访的谈话记录，目的是对“九·一八事变”后中国抗战初期的得与失做检讨，以给政府和参加抗战的志士提供参考，而并非指摘、攻击任何人。全书通篇论述了民众动员对中国抗战的最后胜利所具有的重要意义，洋溢着作者热诚的赤子情怀，和对抗战必胜的乐观主义精神，对于人们了解中国抗战初期的历史不无裨益。

本书作为生活书店的“救亡论丛之五”，1938 年 1 月初版于上海。此次出版，即以此为底本。

李公朴（1902-1946），江苏武进人。1915年在镇江京广洋货店做学徒，先后就读于镇江、武昌、上海等地中学，毕业后升入上海卢江大学半工半读。1927年投身北伐军，后离开军队，于次年赴美留学。1930年回国，与邹韬奋等筹办《生活日报》，在史量才支持下创办《申报》的流通图书馆、业余补习和妇女补习学校，与艾思奇创办《读书生活》。1936年，为读书生活出版社创办人之一、“七君子”之一。1937年，与沈钧儒等筹建全国抗敌救亡总会，创办《全民周刊》，成立全民通讯社总社。1944年创办北门出版社。1946年主编《民主教育》，参加发起成立政治协商会议陪都各界协进会，被选为理事。1946年遭暗杀身亡。

生活·读书·新知三联书店

2013年8月

生活书店 1938 年 1 月上海初版书影

救亡文叢之五

民眾動員論

每冊實價國幣叁角
外埠酌加寄費

著者 李公樸

發行者 生活書店 上海福州路第三八四號

印刷者 生活印刷所

中華民國二十七年一月初版

原书版权页

目次

附录

代序——战地两月

芦沟桥事变以后，神圣的民族抗战的序幕揭开，我也在八月一日脱离了苏州看守所，重得了自由。数年以来，全国人民期待之抗战，一旦实现，自然大家都欣快得很。回上海一天后即到南京跑了一转，上海战争爆发后，又回到上海。因为我很想对全国抗战之新局势，有一番全般的了解，所以我决定先到华北去。就当前战争的主体说，华北战争是全部抗战的中心，敌人的主力是放在华北方面的。

八月二十二日抵首都，廿九到太原。因为当时平绥线的战况已现不利，亟欲赶赴张家口，不料九月三日到大同后，前线已移天镇了。不一周，而大同亦相继被陷。“九·一八”离太原，廿二日到徐州，翌日赴连云港，廿六日到济南，廿八日赴德州，双十节回上海。计在北战场凡五十日，平绥、平汉、津浦三线，都小有停留，在各战区，均得到当地军政长官，民众领袖，广大的民众，士兵们的帮助，亲切的商讨各线作战的得失，以及民运工作等，现在回想起来，真是感谢不尽。回到上海又旬日，复遍历东战场各线，所见所闻亦不少，中国全面抗战之现势，大略已具全般之轮廓。

因为我不是一个新闻记者，所以我的旅行，并不以记录战实为任务，因为我又不是一个文人，或政论家，所以也无心借文字之力，以发舒我对政治的意见。我这次战区旅行，首先是为了自己对抗战后的全国实践有更深的认识；其次是我为巩固和平统一，我认为我们还有许多事做，我们对于实践中的阻碍、磨擦，我们应该设法调整，我们应该各尽所能，去做巩固统一战线的工作；第三是我个人素重实行，我觉得，在动员令下了以后，真是埋头苦干的时候，在战时前线工作更重要，我到前方去，主要的是工作，用个人的力量去加紧前方的工作。

两月以来，我到底做了一些什么事呢？

自然说不到成绩。但时光是怎样消去的，这本小册子内，所做几篇东西都切实的给我答复了。

这本小册子内一共收十篇文字，但我要声明，它们都不是文章。这里有的是观察了战局后，不得不向国人所作的报告；有的是实际向政府当局提出的建议；有的是对实际参加战地工作的友人们提供的意见和工作方案；有的是演讲；有的是向报馆记者谈话，经过他们记录的稿子；这些东西，本无什么特别价值可说，更不是洋洋的大文，可供读者咀嚼，它不过是我个人行动的记录，把他印出来，如果要说它的价值的话，那不过供青年友人行动上的参考罢了。

民族战争一天天在深入、扩大，是一件可喜的事。我们不管当前遭受着如何艰难困苦，军事上遭受着怎样的挫折牺牲，但只要我们能把抗战支持下去，最后胜利一定是我们的。

李公朴　一九三七，十，廿七日于上海

为全民动员告国人书
——西战场上的教训

一　导言

自从芦沟桥事变以后，中国在实践上起了巨大的变化。日本帝国主义大规模进攻中国本部，中国军队开始抵抗，揭开了中华民族战争的序幕。两月以来，由于全国团结告成，以及民气激昂的结果，中华民族自卫战事，急转直下，展开了全国性的抗战。中国今日已进入一个非常的时期，已开始自卫战争来答复侵略者，中国的存亡、兴废，都在此决战中。

自从战争的开始直到今日，无论那一战区，前敌将士都尽了最大的任务，显出了民族英雄气概，作成了民族壮烈的史剧，给予打击者以严重的打击。虽然在西战场上，军事方面已有很大的变动，但一时的胜负决不能看作定局，民族战争的日子方长，而今一两月的时间，不过是一阶段中的一瞬。我们绝不以一时的小挫而对前途生出任何悲感。

动员令下了。不容再有因循、苟且、伤感、空谈的余地。我们今日是迫于生死的关头，我们今日政治、经济、文化的一切都应为战争动员。今日全国国民的生活是战争第一。争取战争最后的胜利，是全部生活的最高原则。因此我们对于有关全民族存亡的战争，当前每一变动，都应加以最大的注意。

是的，我们对于抗战的实现是表示欢狂。对于全国精诚团结，我们自然非常欣慰。对于全民抗战在蒋委员长领导之下，尤觉非常庆幸。对此领导，我们更致最大的敬意与拥护。然而，我们对于当前的战争，都不能不用冷静的头脑，严肃的眼光去观察，我们对于战争的实践，要有正确的认识，系统的认识；我们对于战争中胜利的经验，与失败的经验，都不能忽视。我们尤其重视失败的经验，惨痛的教训。我们艰苦的日子方长，但我们要用自己的血换来的教训，武装我们自己，去换取敌人更多的血液。

我们要认识现实，但我们同时要改变现实。我们自己有了认识，我们应站在民族国家第一的立场上，指摘一切错误，争取现实的改造。

自抗战爆发一直到今日为止，我们不能讳言，我们尚未进展到真正全民族的全面抗战。战争并未按照全民族的布置。战争的动员，还只限于军事的部分。政治、经济、文化、民众的动员，不是不够，就是还未开始，其他交通，技术亦甚落后。战争的准备，战术的确定，都嫌尚带消极意味，不是积极的攻势。总括一句，今日尚没有动员全民族的力量作一系统的战争。这是当前这一阶段战争的特点，也是最大的弱点。

这一弱点，明白的反映在西战场上。

我们为了了解西战场抗战的实践，特从第一战区，来到第二战区。我们作了一月的旅行。现在我们愿将一月观察所得，西战场上抗战的实况，以告国人，同时愿将这次抗战军事的变动的主因，作详细的说明。我们满腔热忱的期望西战场上惨痛的经验，能为全国之鉴，怎样用人事可能的速率，改变西战场上的状况，以改变当前中国整个抗战的形势，此不独西战场一方面之福祸，抑亦整个抗战之关键。此正所谓“心所谓危”，不敢不告的意思。我们的话是否不错，还要希望在实践抗战中的战友们，加以指示与补充。

二　西战场战争的总的检讨

我们到西战场来，我们对于前敌作战一时的军事的胜负，不给予最大的注意。我们注意的是战争发展的前途，西战场上全部的动员状况，特别注意成为决定战争胜负的民众动员。所以我们对于西战场，不仅注意前方，同时更注意指挥前方的战区中心以及后方。我们不仅注意政治、经济、民众、文化、交通、技术各个部分的动员的程度，同时我们尤注意这些方面的联系、配合。因此，我们的观察是综合的，不单是注意某一面。因为我们认为民众动员是这一综合的战争组织的中心，所以我们特别以西战场的民众运动作主要的中心。

西战场的状况是怎样的呢？

战争的失利，阵地的改变，以及一切情况，均暴露了这方面政治、军事、经济、民众动员诸方面不可宽恕的弱点。我们今日主要的是为了检讨这一战争组织状态，致败的基点，找出一点战斗的教训，不是要归责任何个人，所以我们今日的指摘，完全是为了真实，不是攻击任何个人。这一点希望西战场上的负责人，特别给我们宽恕与谅解。

西战场本身的弱点，自然一般方面与以上我们指出的这一阶段中全国共同的弱点没有什么不同，不过，不同的是程度之差，有些弱点在这里特别显得厉害些。

先就军事说，军事的动员的本身，据前敌将士告诉我们，在这里就表现非常弱点，如军事指挥的不统一，军队性质的庞杂，军队首脑与首脑间在某方面尚不免磨擦，形成几种对立。军队作战的能力不齐一，士兵生活待遇不一，因此，预先作出的作战计划，不能配合前进。说到前敌作战的情况，许多人都不免几分愤慨。公忠为国的壮士在敌人高压的炮火下受了巨大的牺牲，但也还有人在那里保全实力，他的队伍完全无恙，这是非常痛心的现象。

这样的军事动员也够说明我们的阵线的脆弱了。不，还有比这更危险的现象。那就是西战场的战争是单独的军事行动，民众是完全与军事没有配合的。千百从前线带伤回到大同的官兵，众口同声的说，前敌的失败，一小半是某某部队的靠不住，军队不够支配，过去没有做工事，一大半是没有取得民众的帮助。十三军从军部的高级士官到伙夫，他们都认识得很清楚，没有民众帮助，不能作战。

许多伤兵、伤官告诉我们，我们的军队是在自己的民众坚壁清野下作战。前线一带变成了十室十空，无人烟的荒野，即偶有未逃跑的村落，亦完全在汉奸的监视下，民众即令自己想挺身帮助运输或建筑工事，亦畏于地主的淫威，不敢出面。因为大村落的地主的家奴中藏有汉奸，他对村人说："我们要维持中立。"致使人民无法与军队在作战上配合起来。

民众为什么不起来帮助战争，打杀汉奸，而要逃亡呢？

士兵们都众口同声说，不是老百姓不好，这是因为民众没有组织、无教育。地方官吏在战时，不独没有减轻人民的负担，其中有些还借着军事，自肥其身；实行无报酬的征役，叫老百姓带三天口粮来做工，随便征发牲口，巧立名目，加添苛捐杂税促使人民害怕战争，被逼逃亡。同时地方官吏的无识，对于敌人空袭，过大的夸张，警察挨家叫老百姓逃亡，弄得人民狼狈万状，逃亡载道。加之前线敌人炮火轰炸甚烈，我们对于难民完全没有救济，因此人民看了战争能逃的都逃了。

中国军队因为设备不好，对于卫生救济，每军中均极薄弱，譬如第十三军六团有位连长说，他们每一团所有的抬床就只有三副，但火线上每一次交锋下来，伤兵伤官一来总是成千成百，因为人力不够，致重伤的官兵，大多数无法救出火线，不得不被弃置，死亡的尸体，更是堆如山集，无人过问，这些事务，本来老百姓可以帮忙的，但是火线区域，老百姓早被敌人的炮火、不良的官吏撵开了。

军队在一百五十里内无兵站，在敌人火力最盛时，给养常常发生困难，几天士兵得不到一饱。伤兵只得连爬带滚，在那寂寞无人烟的荒野凄凉地挣扎，即令不死，也找不到饭吃，买不到食物，甚至要找一口水喝，也不是易事。许多断手只脚从南口徒步逃到大同的伤兵凄凉的对我们说：“许多同志，在路上饿死了！也有因为伤口没有医治，痛死了的。”其悲惨之状，令人不能想象。这些英勇的，能受一切苦难的斗士，他们并不怨恨政府，他们都认识这是没有人民帮助的结果，民众没有动员配合战争的结果。

是的，西战场阵地这样飞速的变化，是因为没有动员群众。这不仅限于以上诸点，主要的还在主力战外，我们没有武装民众，发动游击战争扰乱敌人后方，和侧面牵掣敌人的兵力；相反的敌人反利用了我们落后的民众作汉奸，在在扰乱我们的阵地。据一位连长说：“我们不怕飞机大炮，怕的是汉奸。因为前线汉奸如麻，我们阵地内，凡新的工事一做好，敌人的飞机就在天空出现，重炸弹就如雨般的下来了。”这是非常可惊可惧的现象。

直接影响前线作战的还有交通。西战场的交通说来也可怜，除平绥线较好外（现在已完全受敌人控制了），同蒲线是被世人称为玩具的铁道，此外汽车道之恶劣，恐怕也为全国之冠。在大雨时，泥泞没轮，两车相遇，常途为之阻。在大同放弃的第三天，八路军要想赶赴前方，支持残局，用尽了九牛二虎之力，尚只运输一师余三分之二，其余二师之众，无法前进不得不走慢步了。

这是前线，至于后方呢？

我们想就政治、经济、民众三方面来说。整个西战场的政治机构，实在不能领导这样的一种战争。在战争中，已充分暴露这一机构的腐烂，人的配置不当。这些弱点阎主任傅主席自己十分明白，这一政治机构是处在阻碍民众的动员，经济动员，军事上充分的动员，处处阻碍阎主任傅主席的改革的理想实现。

但是这有什么办法呢？最高负责的人，即令有许多明见，个人却不易一时能将这一个老班子丢掉。

民众动员在西战场的负责人也感到重要，还是因为军队在作战中消耗太大，消耗了自然要补充，可是，现在招兵已不如从前的时候，却感困难了。在山西因为阎先生纠集不少全国有为的青年，组织“牺盟”（牺牲救国大同盟），这一个团体虽然在今日中国，能够充分利用民族联合战线的组织的原则的，还是唯一的团体，可惜所受的限制太多，所能引起的作用还不大。它尚不能掀动西战场内广大人民起来保卫冀察晋绥。这是什么原因呢？这倒不完全是这一个团体领导不健全，而是受了当前政治的限制，它不能对当前的政治机构用斗争的方式进行改造，对于动员民众的前提的改善人民生活，它无决定、确定权力。虽然在西战场有了这样一个团体，到今日止，还不能动员广大的群众，配合战争。

因为战争抽去这一伟大的人民的力量，战争在组织方面乃不能不形成与昔日内战无本质的区别，以之抵御顽强的敌人，不能不生出今日军事上的变动。

（以上所举事实均系就九月十四日前的状况而言，从大同失守后阎先生对绥晋更有改革决心，如“优待士兵条例”已颁布，民族革命战争总动员委员会有新决定，以及八路军参加到前线，“牺盟”全体动员到前线工作，县知事部分的更换等，全部情势已有改变。）

从西战场我们考察所得到的结果使我们认识抗战第一时期的几个特点。

第一，民族内部的团结虽告完成，但政治机构尚未有新的改变，所以有的政治机构，缺乏领导全民族抗战的力量，在战争中已无情的暴露出来要求政治机构的改变，这是当前最最迫切的事。同时在这里已告诉了我们，政治机构的改变，当于抗战中完成。今日大家都明白，当前战争组织方面的一切弱点，归根结底都是一个政治的问题。所谓政治机构的改变，是以民族团结，联合救亡为最高原则，而以实现民主为它的方法。

第二，要实现政治的机构改变，一面是各党派各军事实力者以民族国家第一的立场，以争取战争胜利，而以和平协商的方式达到；一面是彻底的开放民众运动，用群众的力量，实行各地机构的改造。

第三，政治机构的改造，实现民主，开放民众运动，在当前各个地方的当局都感觉有他的需要，不过，各人的感到强弱不一罢了。在战争最最前线，有被敌人占去的地带，或已变成了敌人的后方等地，实行的限度，实行的决心比较能坚决，临近战地次之，真正的后方又次之。我们在这种形势下，认出政治机构改变的过程，将随战争的展开，因部分的完成而达到全部过程的完成。这是整个抗战的发展在认识上的一个基点。

第四，要达到战争全部组织的改善，当然我们中心的任务是要争取政治机构适应领导战争，其他如经济动员，军事本身的改造也多由政治决定。但要达到这一方面的胜利，最后还决定于民众动员、广大的民众组织的力量。所以目前在人民方面，我们最最紧迫的任务是如何动员民众，如何组织民众，扩大民众组织诸方面。

第五，当前战争组织方面各种缺点，是由以上各种任务，本来应在战前完成而没有完成的结果，并不是什么奇迹，当前有的弱点，也不是不能克服的事，改变战争的形势是要赶快完成以上的任务，加紧作长期抗战的准备。

三　统一战线下的民众运动

动员全国人民到战争中来，才能进行民族的长期抗战，已经是一个无可争辩的真相。参加前敌作战的将士，已十分感到没有老百姓帮助不能作战。地方军事首脑已经明白战争的消耗，没有补充，不能继续作战。其他如政治、经济等动员没有民众意识的参加，都会变为一句空话。开放民众运动，虽然在有些人还在考虑，但他们却不能不认识人民是战争中最大的力量。孙中山先生的"唤起民众"，以及"工农政策"的真理，在此时，不由得不再引人回忆，被人重新提出。

现在的问题不是一般人看不清这力量，而是因为有些人害怕这力量。为什么怕呢？那还是这十年来不幸的中国内部所发生的对立，那惨痛的经验，尚未完全忘记。今日我们首先要求全国上下，对于当前的民众运动，要有新的认识，要丢掉过去的成见，同时也要求全国民众工作者，同样有新的认识，新的工作方式。

今日民众要组织，要求组织是为了挽救民族的危亡，为了进行全民族的抗战，不是为了进行政权的斗争。所以今日朝野对于民运的了解，首先都不要忘记今日全民族救亡的统一战线这一最高的政治原则。我们的民运是在这前提下进行，政府今日不能不开放民众运动，这不仅为了战争的需要，同时也是实际的事实，你不要民众运动，民众自己也要起来运动，因为今日政府无权拒绝人民爱国，人民自也有权力起而参加救亡事业，组织自己为战斗的力量。至若为了防范民运而向非民族利益的前途发展，或一时流为幼稚的行动，政府一方面给人民组织的自由，但同时政府有权力在旁监督、纠正。在民众方面，我们却应彻底了解今日民运的任务，是在集中力量，争取战争的胜利，我们对于领导战争的政府，不仅不应生出不应有的磨擦，同时应避免一切磨擦，加强政府对战争的领导。在民众运动方式方面，我们感觉要有新的方式的必要，一切本于民族利益，互以真诚相见，没有什么事不能公开，对任何人，任何党派团体，都没有什么成见，我们今日只有一个目的，打击敌人，此外一切家事，现时都可用和平方式解决，也决不能、也不允许在这共同对付强敌前，采用互相对消国力的方法。

全民动员不是一句空话，要人民都为战争动员，先要民众有组织，民众有教育。组织民众，教育民众首先要有组织民众的自由。不允许民众有组织自由，那等于不要民众；取消全民动员，也就是间接削弱了自己的力量，增加了敌人侵略的优势，因为单是军力的对比，原来敌人是高过我们的。

但是单是了解民众运动的重要，而不具体的认明中国今日政治、社会的实践，运动发展的实际的环境，那也是不够的。我们不能忘记，我们当前的政治机构尚保留有许多一时尚难克服的既成事实。全中国各省区尚保有各种不同的环境，我们运动的方式自也不能平衡的发展，不能用同一方式同一进行的步骤。我们的运动，要能很灵活的运用环境的弹性，采各式各样方式，达到各种环境下民众都能动员起来。自然，这是一种艺术，是这一时期的特点。

固然，我们极端盼望政府从中枢起，实行中山先生的遗教，恢复中山先生对民众运动的正确的策略，迅速颁布战时改善人民生活、优待军人家属、削减人民负担等法令，给予人民组织的自由。在全民动员的号召下，掀起民众救国的高潮来，发展全国民众的运动，一直达到武装人民参加抗战。但是如果全国规模的运动一时不克实现的话，我们也不能等待不动。我们要最实际的说明今日一切可以组织民众的可能，充分利用它。

按照今日中国政治，社会的状况。我们看出今日民众运动有下面几种可能。

第一，即各地由下而上的民众固有组织，如职业的组织爱国的组织等，这些组织都是民众自己组织起来的，过去自己已有一些教养，这些组织是今日民运的细胞，真正民众的力量，在这一些组织，自然应在此时期巩固自己，扩大自己，并要求政府从旁给予帮助。在政府方面亦盼能利用这些组织，扩大民众组织，作全民动员的基本部队；应该放弃过去许多成见，回到北伐时期国民革命的阶段，自己起来领导这一种运动。

第二，某些特殊地方已有的由上而下的群众组织，这些组织大半虽带有官办的性质，运动的本身原有一定的限制，但在今日民族危亡的阶段，我们对于这些组织也不应加以攻击，我们虽然一面希望特殊地方，能够改变对民众的态度，让民众自由组织，但同时我们也不宜与这些民众团体对立，因为在今日，我们大家的目的是对外超过对自己的一切。这种官办团体，只要它想在民族战争中尽它的力量，它本身也就是一个战斗的组织，我们正应该参加进去，不宜抱旁观的态度。我们要扩大和加强它的工作效力，如果是一个“办”而“不干”的团体，它对当前战争完全无帮助，那它自然会在抗战中灭亡，我们不必歧视它。

这样的特殊组织，在今日许多地方都存在着，而各地方又各有它的环境，它的特点。我们要利用各种环境，各种可能，把这些组织，变为最大可能的民众机关，使它在质的方面，慢慢起着变化，成为各地民众动员的司令堡。

第三，除开上面从民众组织的性质区分外，也还有地域的区分。譬如战区与后方的区分，同一战区又有火线区域，已落在敌人手中的地带，临近前线及战区的后方的区分。这些地方的民众组织，自然在需要上会形成特殊的组织。战区的民众组织在实际上会成为战地军事组织的一部分。这一种组织，在今日晋绥，即包含在民族革命战争总动员委员会中，成为动员委员会之一部分。非战争区，民众运动自然还是独立形态，运动本身是在动员群众，教育群众，不是像前线所采的直接加入作战的形态。在已被敌人陷落的区域，民众运动当与当地的游击战争配合，自然它的本身即是直接战斗的团体。

我们希望热心从事民众运动的人，不要因为当前各地许多不很满意的现状灰心，我们在西战区一月观察，我们对民众组织的现状自然也不满意，但我们看出战争将打破现状、改善现状。譬如，在绥晋，大同被陷以来，“民族革命战争总动员委员会”提出的工作纲领，我们相当的能够满意。因此，我们对于全国民运也一样，在战争持续延长下去，随着政治机构改变，各地人民组织力量加强，人民对抗战的积极性加强，也许由许多不同的出发点而发生的民众运动，将走到一条为民族争取自由解放单纯的道路去。所以我们对于前途，是不应悲观消极的。

将全国四万万五千万人民，结合成一个力量，它的本身就是一件艰苦的工作。所谓动员全民族的力量，并不能看作一篇宣言，一道警告，大家就手挽着手联成一道铁环。这条民族铁环，一定可以结成，但是要由无限的辛勤，在抗战中形成之。

四　我们的期望

最后我们对于最高的当局，各地方当局以及各军事首领尚不能不进一言。今日中国民族的命运既然决之于战争，而此种神圣事业，全国人民无不希望完成于诸公之手。今后凡能坚决领导战争而能取得人民信赖者，人民无不拥护之，尊为民族英雄。凡无抗战决心，无正确认识，不足领导战争之人也决不能长居领导地位。战争的实践，现实的历史，对于每一个人都是同样的公正，同样的无情。今日人民对于政府，在抗战的条件下，是只有拥护，与加强领导，决无相违，与之磨擦，减弱领导之理。人民现以诚意拥护政府，政府对于人民，亦应完全信赖，给予人民民主的自由，以加强人民对政府的信心，同时也是加强政府的力量。

今日，我们说一句心坎中的话，在这两个月来，在战争上所表现的，我们对于战争的准备是太不够了。我们不是说，战争来得太快，这时还不应用战争答复敌人的侵略，而是说，我们要赶快在抗战中准备。我们的弱点，无足为讳，我们要虚心的承认。西战场上的弱点，我们不能说只是一隅的现象。这种弱点，现在已得着血的教训了。我们不怕失败，怕的是不能接受教训，改变现实。我们平心静气的说，我们能让战争继续保持过去一月余在西战场上所发现的弱点吗？政府比人民清白，自然所了解西战场的情况，比我们更真切。我们看了这种情形已经不安，已经为之颤栗了。

我们亟盼我们的战争能转入一新的阶段，有更广大的动员，但我要告诉诸公一句话，我们绝对不能忘记人民的力量，是唯一可靠的力量！十三军有位下级军官告诉我们，他说：“我们能战胜敌人最大的力量，是真能做到全民族的动员，全国人的组织力，而日本都不能做到。”这是一句实在的话。至于军事上一时变化，也不是着重在一时的胜负，而在战争的组织的不善，这里面含有一个很大的危机。我们已说过，西战场主要的失败原因可说是在单独的军事行动，脱离了民众，是所谓政府的抗战不是全民的抗战一点上。这是值得大家玩味的。

有些军事领袖，对于军队的补充很担心，他们看了自己的部下天天喊动员民众，而民众并不起来，因此不安，而至错怪了人民。这里也可以用十三军一位士兵的话作答：“不是老百姓不好，而是老百姓无饭吃，老百姓被当地的贪官、劣绅，压迫得动都不能一动。”不仅如此，现在“老百姓还要受汉奸威胁”，这也是完全正确的。老百姓有了饭吃，有了相当的民主自由，有了组织，有了接近政治的机会，老百姓自然会风起云涌来当兵。我们不愁中国没有人当兵，只要我们不见绝于人民。

所以我们在要求政府看重人民的力量外，希望同时能重视改善一点人民的生活，注意动员全民的这一个先决条件。

全国人民不仅是民族的力量，也是加强政府领导的力量，我们满腔热忱的期望政府好好的运用这种巨大的力量，完成民族自卫战争的胜利。

1. 全国不愿当亡国奴的同胞起来！一致为民族战争的胜利斗争！

2. 实现孙中山先生革命主义与革命政策！

3. 开放民众运动！

4. 全民动员成功！

5. 民族自卫战争胜利！

6. 中华民国万岁！

全民抗战的必然过程
——廿六年九月十四日在太原青年会讲词

诸位先生：今天能到此地与诸位见面，既觉得愉快，更觉得有很大的意义。因为当此南口及张家口相继被敌人占领之后的现在，或者会引起许多人的忧虑。所以今天打算与诸君讨论一下关于这次抗战过程中所将要遭遇的困难和牺牲及如何才能把握住最后胜利的条件，我们必须能有遭遇最大困难的准备与最大牺牲的决心，然后才能与敌人作持久战，才能有最后胜利的把握。

一、全民抗战序幕的序幕。

二、我们必要经历的困难。

三、日本帝国主义内在的矛盾。

四、我们抗战的坚强的堡垒。

五、战士这样告诉我们的。

六、怎样保证我们最后的胜利？

一 全民抗战序幕的序幕

因为日本帝国主义的军队，在芦沟桥挑战，揭开了我们中国全民族对日抗战的序幕。

过去两个月期间——从七月七日到九月六日，虽然在战事发展的形式上是由芦沟桥抗战，而演变为七月二十九日二十九军撤出平津，八月二十六日刘汝明放弃张家口和南口汤恩伯军被迫撤退。由敌海陆空军侵袭淞沪，被我严重打击，而演变为敌机在京、沪、鄂、皖、赣、浙各重要城市的不法飞行和轰炸；敌海军第三舰队的封锁我沿海各口岸，敌舰侵袭我汕头，并在港粤海面擅捕我海关巡舰人员，且加以屠杀。可是，在种种敌人的暴行中，仅足以证明侵略国军队施诸被侵略国的不法的罪恶，并不足以例证战争前途的任何因果，或说明我全民抗战的形势优劣。这就是说全民抗战与过去“一·二八”淞沪战争、长城线战争等有限度的区间作战完全不同，而是说明我们于现在日本帝国主义的侵略是要动员全国军队，武装全国民众，集合全国家、全民族人力、物力和敌人作持久战。敌人侵略到什么地方，我们就在什么地方给他一个严重的打击。一直打到最后一天，使敌人侵略的野心，因我们的摧毁而屈伏为止。按照现时现地事实所表现的战况，从我们的军事进展来说，自然是首次动员的战局还没有完全展开。从战时国际公法的法据上来讲，虽是中日两国的军队已经走近战时状态，而双方宣战的文书，尚未正式公表。尤其是在我们的全民抗战的条件上来求证，很明显地可以说是距离我们所预期的战争前途，不但是谈不到完成任何一个阶段，就是从我们正在建立起来的全民抗战的阵容，也还需要相当的开展。所以我们如果假定这首次动员是全民抗战的序幕的话，那么，对于现阶段战事的时代划分，充其量，也不过说它是全民抗战序幕的序幕而已。

二　我们必须经历的困难

在全民抗战序幕的序幕这句话的措辞上，我们决不承认一切违背胜利条件的各种事实，同时更不忽略有利于全民抗战的诸条件。因为我们首先知道像现代化的国际战争的例证，打开中国五千年来战争的历史是找不到一点事实的经验，可以帮助我们执行这个全民抗战的现实的历史任务的。从前我们的帝王世系谱式的史书上所记载的，只有酋长时代的原始部落战争，易姓朝代战争，或是对于异族侵略的防御战争。至于近百年来，所谓对外战争者，自鸦片战争，中日战争，一直到"一·二八"战争为止，几乎没有一次不是局部侵略、局部冲突的起因，而结果造成许多不平等条约与地方协定的束缚。所以在我们第一次施行全国军事动员的今日，因为缺乏过去的历史经验，于完成全民族抗战任务的过程中，或将不免遭遇以次各种困难：

1. 所有军事行政机构，在最短期间未尽适合对外作战的标准。

2. 交通工具，如铁道、航轮、公路，未达成国防建设的要求。

3. 军需工业的生产率，未尽适合对外作战分配上的某种限度。

4. 战时必需品购进时，运输上安全保障的顾虑与措施。

5. 战时经济统制机构，或感受技术问题与人事问题的贫乏。

6. 因全国民训推行的不够，至某一战争阶段时，对补给兵役的征集与训练感受困难。

7. 战时后方建设，如教育生产等事业，感受人力物力的不足。

8. 其他军事以外各行政或政治机构，缺乏战时训练的修养。

9. 军事指挥不统一，在作战时受到种种牵制，不能根据既定的战略进展，而牵动一切部队，以致被敌各个击破（这也是西战场上的实际经验）。

10. 政治训练不够，行政机构不健全，运用上缺乏灵活。有时地方行政长官，对抗战性质不能理解，无法应付一切非常的事件，因而有的在后方过分的夸大空袭的危险，致使人民纷纷逃散，致后方秩序不安；后方生产停顿，这一切影响作战计划和群众心理很大；尤其是这样引起的经济上的障碍，对于持久战是有着极大的妨害的。

11. 因为我们自己的民众没有组织，反而使汉奸们变成了敌人在我们后方的民众组织，这是多么危险的现象！？

12. 对于动员民众的工作根本缺乏，以致有的时候需要有人来工作而没有人；有的人需要工作而没有工作。尤其在战区中，有许多军队需要配合民众担任战事上的补助工作，结果是找不到民众。

这在战争上该有多么大的损失！？

以上列举在全民抗战过程中必经的各种困难问题，我们认为在现阶段因缺乏经验而形成某种不易补救的缺憾，当然是应有的现象。可是鉴于国家军事机密，向来不予公开发表一点，自不能不信任国家于事先已有充分准备。假如就算是国家对于前述诸种问题，是完全没有准备的话，我们也相信等到抗战过程，循序进展的时候，所有各种问题，一定会在迫于事实经验的教训中，自然地发现很迅速很成功的改善方法，随时随地使我们的一切困难获得合理的解决，完成我们这个伟大的全民抗战的历史任务。不过在讲求一切解除困难的方法当中，是不容许我们存有任何一种侥幸心理，希求任何一种意外的成功。这就是说我们必须一方面在估计敌人的军力、物资上力求正确；一方面在解除本身作战困难上力求迅速，才是我们争取最后胜利的唯一途径。至于发挥以上两点效果的不二法则，只有用不怕难、不迁就、不犹豫的精神；人人不断地努力：事事随时谋解决；集合起全民族四万万大众的聪明智慧来奋斗！

三　日本帝国主义的内在矛盾

依现实的国力观察，我们自然不能否定日本的产业资本与商业资本的发达，相当于促成帝国主义国家的诸条件；而证明其利用反苏联战争为遂行再分割太平洋殖民地阴谋的愚蠢，是他们的国策发展与维系政权的必然法则。可是在它们无忌惮的进行侵略，无限制的增加军费的军部暴民政治下，所谓皇军神武的飞跃，也许就是整个的大和民族，被军部暴民统治葬送在侵略阵线上的丧钟！

根据日本军力的调查：虽然说是除去平时正规军全国十九个师团，另一个旅团，四个骑兵特务旅团，四个重炮兵旅团，三十四个重炮垒兵联队，两个铁道特务联队，两个通信特务联队；陆军所属飞机一千四百架，海军所属飞机一千架左右；海军三个舰队，附属四艘航空母舰。对外作战，首次动员，在第一个半年中，可以出兵二百万人；第二个半年以内，可以出兵二百三十五万人。第一年战时财政，可以支出一百三十六亿元的巨额军事费。

可是相对的在他们国家的内部，却也存在着经济不平衡的发展与事实濒于破产的财政政策。在日本政府虽已定有确保战时供应的全国总动员的计划，然而由于其工业技术和机器制造业的落后，终究不能解除阻害动员的国民经济结构。其重要特点如次：

第一，日本农业的极端散漫性。

第二，生产集中落后于资本集中——因而中小企业社工业生产中占有重要地位。按照第一点的事实来说明，日本全国耕地百分之四十六是属于地主的。分配到两公顷以上耕地的农家，只有百分之九点三，分配到一公顷至两公顷的农家，只有百分之二十一点九，百分之六十八点八的农家所自有或租种的耕地都不到一公顷。

全国农民百分之七十四点二耕不到一公顷的田，一百五十万农民是没有一寸土地。全国五百五十万农家，有四百五十万家没有一匹马，有四百四十万家没有一头牛。因此，日本在全国农村经济不景气中，每年不得不自外输入粮食二百万吨，价值在一亿五千万元以上，如果加上其他食品输入，则价在三亿元左右。

第三点是说明日本工业的重要特征。在一九二六年的时候，日本有产业工人五百二十七万八千人，而政府统计却只发表为一百九十七万九千人。其因原即为有三百二十万人，是在被雇用于五个工人以下的小企业中的。因此，日本军事工业生产动员的出品，是被分配在三千多个大小工厂里集凑起来的。这不仅是在技术上发现拙笨的产物，即在统制或管理上亦当有难于处理的事实。同时军部驻厂监工及负责购料人员，遂有不断发生的舞弊诉讼，成为法院中经年不结的积案。

在战时供应的物质方面，除去钢、铁及其他金属品以外，汽油一项依日本全国产额二十五万吨而论，仅当其全国需用量百分之二十九。因此，日本在作战第一个半年中，须购入汽油三十八万九千吨；第二个半年以内，须购入汽油二百八十万吨。

军需品的买进：

1. 日本战时一年间需要买进的食粮食品三百万吨。

2. 酒精十万吨。

3. 石油五百四十万吨。

4. 汽油九十八万九千吨。

5. 汽车四千一百台。

6. 引擎九千四百架。

7. 飞机六千一百架。

8. 野炮、高射炮三千七百门。

关于日本战时经济的财政贫乏，我们可以从他们的全国经济能力的三大构成部分来研究：

第一，日本国富花金每年增加额数，从一九二四——一九三〇年是由一百零二十亿元增至一百一十亿元。平均每年增加十三亿元。

第二，日本国家总收入是八十九亿元左右，其中三十三亿元是政府开支和公共开支的综合数。

第三，从前面算出民间开支数字，仅为四十三亿元而已。其中有六十亿元是全国农民生活上必需的费用。

剩余三十七亿元。百分之十四是一般轻劳役的工资。百分之四十六是中小企业的工资付出。其他殆将为都市生活消费者所浪费。

最后我们把日本国内全年收入中提取资战费额，殖民地提供款额，与在我东北四省榨取款额一并开列如次：

国内揭取款额：三十一亿元。

殖民地提供款额：四十亿元。

东北榨取款额：十亿元。

综计为四十五亿元。

连同其平时既有储备值六十九亿元，固定资金生产部门经常供给款额十二亿元，总合为一百二十六亿元，以此抵付一百三十六亿元战费，计不敷十亿元。非恃武装掠夺或成立国外借款，将成不可弥补的缺欠。

用横的观察方法，在下列几项数字中，可以诊断日本财政政策贫乏的一切病状：

国家所负外债金额为十七亿八千四百万元，外国对日投资金额为二十一亿五千三百万元。每年对上列二款需要付出利息金额为三亿六千三百万元。

发行纸币总额为五十二亿元。

发行公债金额为九十五亿元（最近所发战时公债，尚不在内）。

现金准备总额为七亿元。

命定日本财政政策的枯竭，最好是引用日人横山大佐在《非常时期的我国》一文中的话，来反映其帝国主义内在的矛盾，显已达到死亡的前夜：

> 假定在一年的战争中，必须以国内公债动员一百亿元。按照以往的经验来看，公债若发行十五亿元，已经很难推销，过度的通货膨胀就不可避免了。物价必然飞腾的提涨，使国民大众的生活，必然一天比一天地恶化起来！

四　我们抗战的坚强堡垒

全民抗战的阵容，在敌人具有深刻的内在矛盾的期间展开。在他们唯一的军事上的企图，就是准备采取速战的方针，集中兵力击破我们任何一个军事上的重点，使之一蹶不振，而后施以殖民地统制政策的压迫，占有我们的一切资源，奴隶我们的全体民众。我们对于敌人的野心，自不能使其纵横，而必予以严厉的惩创。同时在我方的作战方针，须采取坚壁清野的持久战争，使敌因对峙日久的消耗而达到资本主义社会后期发展总溃决的时候，再来和他们做一个外交上的清算。

那么，怎样才能建筑起我们全民抗战的坚强堡垒，来和敌人十足现代的部队做持久战争？我们马上可以回答说：要靠着运用地理上、人口上、精神上、物质上的优点和争取与国的同情，来奠定我们最后胜利的基石。

1. 在地理的条件上敌人远征我国，对于气候、语言、方向、习惯诸种自然的人事的环境，均将感受不利的反应。在我则正可以相对的有利条件，予以出奇制胜，迂回歼灭，而进行继续不断地攻击。甚至一丘一壑，一草一木，均得为我依据作战之屏障。

2. 在人繁殖的比例上敌人与我众寡悬殊。敌我相持，假定超过三年，敌军动员，以每年一百万人计算，其前后方动员总数每年至少当在二百五十万人以上。三年以后，则敌前后方至少非动员七百五十万人不可。其间因军事影响而涉及农村崩溃、生产停滞，与造成社会形态之不安，均足以为敌军不战自败之因素。在我则人口密度分配适当，补给兵役易于征调。且关于运输交通事项，凡为物力所不逮者，均可以人力补充之。

3. 精神上敌我所具的意义，根本不同。敌士兵从征异国，完全被支配于天皇懿旨与军部野心家的滥命，每辞祖国辄觉有被驱走于死亡线的心理威胁。所以每临战场，不特徘徊于出生入死的悲哀境际，抑更时时浮起反抗军部淫威统治的情绪。在我则抗战即可图存、不战即为奴隶。尤以身家、性命所关，非杀敌不足以保障一切。进而由于政府积极领导，不断宣传抗战为国家民族存亡的最后关头。一般民众皆知以国家民族为第一义，故能形成哀军必胜的士气与不共戴天的民气，而演进于全民抗战的中心思想。

4. 在物质条件上分析，就目前敌我的财富和武器来比较，自然是敌人胜我一筹，也许其胜我者还比一筹更多都说不定！？不过，在敌方因有种种经济不景气的事态在持续地发展中，则其侵略战争为时愈久，其物质上所感受的困苦亦愈重。甚至可以引起因经济问题而造成的政变，也是一宗意料中所应有的事实。在我则经济制度并无产业集中或资本集中诸现象。国家财政政策，尚不如敌方罗掘之苛刻。至于其他工业制造的需求，因有自然分配较厚诸矿产，只须一尽人事，即可供其所求，而应其所需。

5. 在争取与国的同情方面，除少数战争集团，主张殖民地再分割者，对于申明国际正义，尚在考虑外；我国自始即处于被侵略国地位，久已博得国际间道义上的同情。所谓“国联盟约”，虽已成为历史上的文献；而关系国在某种场合因与日本发生直接利害冲突时，则帝国主义与帝国主义的仇杀，或竟不减于帝国主义争取殖民地时所表现之残暴，亦未可知。所以我们相信只要日本帝国主义不是痛自改悔的觉悟，而结束他们所发动的一切战争，国际间正义的声援，必是同情我们的。也许还有更开展的和平集团会在前面给侵略国一个有效的打击。

处于上述把握最后胜利的几个自然的、人为的重要条件以外；最足以联系一切有利条件，而筑成我们抗战的坚强堡垒的基本力量，就是我们的抗战最高领导权，是由于全中国广大群众的支持而建立的。所有一切国内的纵横交错的问题，在抗战过程中概不检讨，全民一致参加抗日。在过去持有不同的政治见地的人们，在这时候也都一齐起来，为保卫祖国而战。我们唯一的抗战的坚强堡垒，就是建筑在开放全国民众运动的上面的。所以我们的阵线是越打越能够特别的巩固，战士们越打越显出格外的英勇，一直到取得我们最后胜利的那一天为止。相反的敌人的阵线是越打士气越不振，越打越暴露出他们在军事上有种种的弱点，结果是被反抗者所克服。这样可以证明：持久战的本身，就是打击日本帝国主义的伟大武器。

五　战士这样告诉我们的

决定敌我作战胜负的基本条件，我们已经在正确估计敌人的军力物资与迅速解除本身作战的困难两点上获得极明确的认识。那么，最好我们就来使用它把现阶段的战争做一检讨：淞沪战区的形势，据我们所知道的差不多是没有什么新的变化，我们对于这一部分的检讨可以暂予保留。至于西战场上战况的发展中，使我们不能否认的曾经在事实上表现出下列各种可供于作战的阻害：

1. 在南口张家口一带，出现在冀察政委会与冀东伪组织所养成庇护下的汉奸，乘机活动于军事地带。

2. 由于平津被敌掌握而使平汉、津浦两路北端切断，以致向南口以北的军事输送，在比较上不能超过敌人由榆关以东运往南口一带的迅速。

3. 战区附近县政贫乏，不能与军事行动协同一致，在有效期间完成一切补给征发诸任务。

4. 现地伤兵超过附近各种军医院的收容量，形成供养医药上的不足。尤以伤兵运输设备缺欠，以致转院手续不能合理进行，增加伤兵痛苦为最深。

5. 少数战区人民，对于空袭怀惧异常，遂发生不必要的迁徙流转。一部分战区人民，因平时缺乏县政上的训练，以致规避差役，临事出走。以上两种情形，在军民配合的抗战前途上，均有不良影响。

6. 由于战区地带，缺乏民众运动，以致现地人民没有军事政治上的组织联系，而造成战略关系上种种阻害。

事情虽然是这样的，但是从积极方面的努力上去着想，在我们国家的人力物力上来估计，这些问题，都是在最短期间内，可以纠正，可以补救的事实。

同时，我们曾经在某处的一个伤兵医院中，会见大批自南口前线负伤归来的民族战士。据十三军第八十九师五百二十九团二营九连连长国志英，一营一连连长曹光纯，与二营五连连长谭嘉范诸同志所谈参加南口作战经验如次：

> 八月二十一日南口阵容变化的主要原因，其客观条件的支配，当为敌军集中炮火的攻击。自我军到达阵地日起，敌军即有两周以上不间断的炮火攻击。其间尤以十八日以后，敌军复增厚炮兵实力，至集中重炮八十门以上，同时放列，织成强有力的十字火网，每日昼夜不停地向我阵地轰击，其损害杀伤能力，至为猛烈。不仅毁坏我军阵地，即阵地附近山地，亦大有易丘为壑，水草俱枯的现象。在主观条

件上的缺憾，约有四点：

第一，我军出发南口，系受命匆促中，比及到达前方，又未及整理阵地，即与敌军接触，以致缺乏精力上的修养与坚强阵地的构筑。

第二，因敌军迂回进袭的缘故，致我军五二九团兵力为确保阵地安全起见，被动的向左右翼开始无限度的引长防御线，遂益感受兵力薄弱的痛苦。

第三，增援运输困难，而前方兵力因死守原阵地，遭受敌军炮火，杀伤过甚。同时鉴于敌军自多伦进出张家口的后方威胁，乃不得不作变更战略的活动。

第四，因为作战地带没有民众运动，所以军事行动，不能得到民众的有力协助。甚至由于人民逃避的结果，竟致引起军事补给上种种恐慌，而丧失民族抗战前途军民一致作战的意义。

概括统计此次十三军，经过南口作战的损失人数，约当全部队二分之一弱。阵亡员兵姓名，除五二九团罗团长，业已证实阵亡外，军部正在统计调查中。

对于敌军作战能力与士兵训练的分析：就兵种上研究，以敌炮兵作战能力与士兵训练为较好，由其持久作战的精力集中；射击上的测算精确，可以证明。空军无论掷弹与扫射，只能予我以精神上的烦闷，而甚少杀伤或轰炸上的损害。骑兵训练为最幼稚，曾忆某次在南口阵地前马鞍山地带，敌骑向我阵地窥察，竟高踞马上呼问："山上有人没有？"致我军中传为一时笑柄。步兵训练亦颇缺欠素养，每次在其炮兵掩护前进，抵达我军阵地时，一经我军跃进呼杀，立即匍匐逃走，滚赴山下。观于此点，可见其作战决心之不足。至于部队成分，则班长以上均为日人，班长以下为朝鲜人与我东北人所编成。武器方面：除其炮火杀伤威力较大外；空袭之飞机，陆上之坦克车，与装甲汽车等，在效果上均不如想象中的猛烈可怖。其步骑兵活动，则多利用黄昏拂晓，与一般作

> 战通则，并无异点。
>
> 敌我作战所得的教训：在过去南口战况的处置，我方失于兵力过单不能出击。敌方失于步骑炮兵不能协同作战，致对南口进攻迭蒙不利，损失过当。当敌军增援配备，尚未完成时，我军如能出奇兵绕越长城线，进抵昌平而拊其背，则敌炮骑步兵，将趋一律歼灭。
>
> 今后对敌抗战在战术上应采的方针：尽量避免阵地战，而不断地予以极活跃的游击式的攻击，则敌军必因是而遭受剧烈的创伤。

我们把前一段不利作战的阻害与实战经验的叙述两相比较起来，在其损失与收获间，不仅可以互相抵消，甚至可以说是收获大于损失。因为我们所有的损失，都是在本身可以迅速补偿的事实，而收获却是用了千万战士们的不惜牺牲，亲自尝试，才换来的。

所以说：战士所告诉我们的，就是我们克服敌人最新锐的武装。

六　怎样保证我们最后胜利

无疑义地任何一个人都是必须严格的忠实的执行我们的全民抗战的历史任务：对日本帝国主义的侵略，动员全国的军队，武装全国的民众，集合全国家，全民族的人力，物力和敌人作持久战。敌人侵略到什么地方，我们就在什么地方给他一个严重的打击。一直打到最后一天，使敌人侵略的野心，因为我们的摧毁而屈伏为止。才能通过这个伟大的时代，到达我们国家民族获得真正自由平等的阶段。然而，要怎样地做起才能够正确不倚的执行这个抗战的历史任务？这就是我们所要提出讨论，怎样保证我们最后胜利的问题。

第一，我们必须先建立把握抗战最后胜利的根本法则，就是说我们不论是批判或是处置当前的任何一个现实问题，都要把主观力量和客观事实统一起来，而给它一个动的观察，才能很明确的认识一切现时现地诸问题。譬如，目前对于抗战前途的观察，就有两种认识极不明确的论调在发展中，给一般社会以极不吻合事实的不良影响：

悲观论者受唯武器论与对敌估量过高的支配，而造成流行恐日病。

乐观论者昧于期待国际政治形势的演变与日本帝国主义无条件的内在崩溃，而造成胜利的幻想。

在我们所观察的抗战前途是：日本帝国主义侵略+〔(我们的全民抗战+我们的后方建设）+日本国内经济矛盾严重化〕=我们的最后胜利。

第二，我们对于全面抗战前途，既已具有明确的认识，那么我们就必须以一种大无畏的精神来克服一切意想不到的艰难困苦。譬如，一个厄运的降临，其实际困难情形的或将超过一切悲观论据所含有的内容。同时，我们因迫于现实环境所设定的问题，而促成我们在任何事物上一个伟大的发现，也许要超过所有希求的限度以外！？所以我们说只要我们是突破一切现时现地困难，而达到不断打击敌人的持久作战，就是争取最后胜利的唯一保证。

第三，我们认为在过去由于某种政治便利上而施行的新闻统制，往往使公开发表的各种新闻资料，内容过于粉饰。现在正是全国民众，对日抗战情绪激昂的时候，人们得到战争的捷报，固属足以引为欣慰，而每天的敌军占领我们什么地方，杀害我们多少人口，损坏我们多少财物的真实消息，使人们听到也未尝不足以增加广大群众英勇赴战的情绪。所以我们在推动全民抗战的过程中，对于开放敌情的新闻政策的建立也是很迫切的需要。

第四，关于集中抗战力量，扩大民众运动的意见，不仅我们所见的如此，就是深获抗战经验的负伤军官和民族战士的所见，也和我们不约而同的。此外负着全国军事交通任务的俞飞鹏先生，在太原时也曾向我说：发动全国民众运动是抗战期间最紧要的一宗事情；并且说：不但是在战场里扶持伤兵，供应徭差的方面需要有组织有训练的民众；就是运输交通方面的工作，也是到任何时期，任何地点，都时时刻刻离不开民众力量的协助的。

本文为作者于周行上海、南京、徐州、郑州、太原与大同等地以后，从实际观察而得的一般事态感想的记录。主要意思：就是纠正一般似是而非的悲观派与认识不正确的乐观派的人们，对于全民抗战历史意义上的观察错误。同时叙述我们所提供的开放全国民众运动，发动全民抗战的理论与实际，都是具有科学根据的。也就是说：只有在开放全国民众运动的基础上发动我们的全民抗战，才能够发挥我们民族性上的英勇精神，随时随地在困难中克服一切困难，而坚定我们必获最后胜利的信念。这就是我们所提供给全国救亡同志面前，对于全民抗战的必然过程的一点实际感想。至于检讨民众运动问题的工作，有柳湜同志的专文讨论，故本文不予论列。

我们在这里纪念参加南口抗战负伤的民族战士们的荣誉，并向救亡阵线上诸同志征求救亡的言论。

（廿六年九月九日）

怎样挽回华北危局

周钢鸣笔录

在谈怎样挽回华北危局之前，我们先将华北战争作一个总的观察。在目前华北战争，其主要的战场是晋绥方面。日本对华北的作战计划，现在着重在山西，他认为河北、山东有相当的把握，以为占领河北，可以掩护东三省、热河，占领绥远，可以巩固察哈尔；若是占据山西，就可以巩固河北，同时可以进窥河南、陕西，进攻山东，向黄河南岸发展。这样华北五省可以实际在他的控制下，一方面可以作征服中国的根据，另一方面可以作进攻苏联的根据。所以现在全面战争的展开，而敌人在华北作战的重点，他的主力是在绥远和山西两方面。

在绥远这个地方，是易攻不易守，敌人的机械化部队进攻绥远是很容易得手的。至于在山西则相反，因为山西省多山，敌人纵有机械化部队进攻也很感到困难。不过敌人在山西做了两年以上的调查工作，他认为山西的民众和军队很落后，进攻山西很有把握。至于山东，在军事上，敌在山西未有进一步的得手之前，他决不会大举进攻山东。目前津浦线上的战争，一方面还是牵制战争，一方面敌人则企图引诱山东当局。记得我到济南的时候，韩向方先生曾对本人坚决的表示过："在这民族最后关头，大家应共赴国难，挽救全局。"从这里我们可以看到，韩先生的态度是很光明的。

除了华北的战争外，在连云港，徐海一带是很重要的。这虽然是沿海区域，但这里很容易深入我国内地，等于我们的腰部，敌人若从这里进攻，等于对我拦腰一击。这一带我曾经去视察过，这方面的地域形势很险峻，同时我们的防御工事上有很坚固的准备。敌人想从这里上岸是很困难的，同时我们也决不准他上岸，而且可以阻止他上岸。除此以外，敌人若是以很大的牺牲来冒险登岸，除非是敌人在华北或山东有问题，不然他决不敢轻举妄动的。这是个人的估计。

现在敌人的注重平汉线平绥线，来夹击山西；至于淞沪的战争，对敌人毫无益处，而且遭到了巨大的牺牲，得不到多大的代价。但这个战争，对于我们却是非常有利的，对内可以振士气，可以加强抗战的自信力，把那些“恐日病”、“唯武器论”者，用事实来击破它；同时在国际上也很有利，而现在已经得到各国人民热烈的同情。因此淞沪战争牺牲虽大，但我们可以说，上海战争可作奠定抗战最后胜利的基础，山西的战争是最后胜利的根据。上海战争可以加强我们国内的团结，可以增强和提高国际的地位。

日本可以进攻中国的地方很多，从山东到广东的沿海线，处处可以攻击，特别是青岛和福建这些地方。但到目前敌人为什么还不进攻呢？这我们可以看到敌人是不愿战线过分延长，这于他是没有利的。同时敌人兵力也不够，事实也不可能。所以目前广东的侵扰，只是一种牵制的作用，同时也是对英国华南利益的一个重大威胁。但在这各方面，我们都抱着抗战的决心，都有单独作战的准备。

在上面既然是以华北作论题中心，而敌人所企图侵占的是华北，我们应当挽救华北，那么我们现在更进一步的来检讨华北的状况。

目前一般人谈到华北都很悲观，以为很糟。抱这种观感的人，其实是不了解华北过去的政治外交的情形和原因。事实上谈起来，华北为什么不应当坏呢？这是过去种种的错误设施到现在所得到的结果，是过去所造成之必然性。现在可以分开来说，譬如山西，大家都知道过去有过模范省的好批评，事实上不如所说的那样，尤其是在战时，过去好是因为地域关系，那里没有战争，民国廿六年来都没有战争，人民是在安定下中生活，军队、人民、政府，都在安定下生活，所以过去的好处，是在慢慢的改良，可是坏处却很大，是封建思想很浓厚，封建势力很大，连阎先生自己都很不满意，一时想打倒不可能。我可以公开的说：人家对于阎先生的责备，说他保守怎样怎样不好，这是太过分的。其实阎先生是很想用和平的方法来改造，虽然有好的方案，但实行起来是非常的慢，或者简直是不可能，这是因为那里的封建势力很大。比方阎先生创设的“主张公道团”，也是行不通，因为他的主张空洞抽象，他的时代也老早过去了。

所以在去年“九·一八”起，由阎先生直接领导的组织“牺牲救国大同盟”，这可以说比“主张公道团”要积极得多，可代表抗日主张最坚决的团体，从他们的宣言和纲领里都可以看出他们的进步性。他们主张“有力的出力，有钱的出钱”，他们的号召很大，但不能照他们的主张实行，这原因是阻碍的势力太大了。他们虽然从去年“九·一八”发动起到今年芦沟桥事变爆发曾有相当的成绩，还不能说是很多，还不能照他们的计划做去。不过战事发生大同失守后，客观情势不同了，他们的活动已有很大的开展。

在军事方面，也一样，想改革还不能像开放民众运动一般容易着手。军事是要特别的训练才能改进，现在在军事需要急极的就是要加强原有受过相当训练的晋军的训练，实行指挥统一，同时更扩充新的军力，要把民众的武力发动起来，进行广大的游击战，以配合主力战。现在在山西作战的部队有曾受过训练的晋军，和第八路军、中央军，而且晋军多是土著军，这在作战上是很大的便利。

在山西政治方面的缺点，是家长制，什么事都要问阎先生。但在山西封建势力很大，所以山西的政治机构就像一部旧的机器，阎先生虽然在上面尽了很大的力气推动它，但只是他一个人在推，别人不敢推，也许开始也在推，但到末了是无力再推。我们可举个例子，像阎先生所规定的，分派“牺牲救国大同盟”到各县去活动，结果常常受到土豪劣绅的阻碍，有些算好的县长，对他们的活动置之不问不闻，若是不好的县长，他还要进一步的来阻碍干涉他们的活动。这些都是山西过去的政治情形。

至于经济方面的特点，严格的说起来，山西还是商业经济占主要地位，所以反映在山西的社会势力上，是封建残余和商业的结合。这种商业的膨胀，是因为山西是在安定中，许多从政者和军界上的人，多参加商业，这现象虽也可以说是振兴实业，但是他们的营业方法很守旧，我曾经参观过山西的土货商场，物产是很丰富的，但都不能大规模的运出，使其发展起来。这是他们缺乏大规模的营业计划。这四点是山西作战之前的情形。

现在我们提到的是山西的情形多一点，它的缺点固然很多，但在决心挽回补救起来还很容易。阎先生也深深地感觉到了，最近产生了“民族革命战争战地总动员委员会”和他的工作纲领，就是针对山西过去的缺点和挽救目前的危局和展开山西未来新前途的一个具体的划历史的行动纲领。

这个纲领关于战时紧急动员是：（一）动员新兵上前线；（二）组织人民自卫队；（三）动员粮秣运输；（四）运送和招待伤病人员；（五）组织人民团体；（六）组织战地的坚壁清野，侦察敌情，封锁消息；（七）进行铲除汉奸运动。另一方面关于改善政治方面的：（甲）积极保障人民抗日的民主自由。（一）扶植人民集会结社之自由。（二）扶植人民言论、出版之自由。（三）积极武装人民，发给枪械。（乙）改善人民生活。（一）在动员中规定以大家有钱出钱，有力出力的原则。（二）减租、减赋、减息，救济失业与灾民。（三）改善工人劳动条件及待遇。（四）免除过去一切摊派。（五）实行已颁布的“抗战军人家属优待条例”。

看了这个纲领，我认为是挽救山西目前危局，不，可以说是挽救目前华北危局最具体的纲领。这个战地总动员委员会，是目前山西军政统一的机关，阎先生他自己知道山西的情形很多，现在集合各方面的力量，在实施的地域是察、绥、晋三省。参加这个委员会的人除三省政治的负责者，还有在山西参加作战的各军事人员，各地人民团体都参加。他的目的是在军事、政治、民众各方面，经过有统一的计划来动员。有了这样的决心，不仅现在我们听山西军事胜利的消息，就相反的，假说太原失守，我们都不悲观的。现在我们要打破这种悲观的心理，过去自“九·一八”以后，我们失地很多，觉得很悲观，因为过去在不抵抗的情形下失去的。现在全面的长期抗战已经展开了，我们不要以普通军事上的进退，和作战计划上的暂时放弃某处而悲观，而要看整个民众的发动情形，和与整个军事计划来决定的。现在山西的主力战和民众组织的游击战配合发动得很好，在军事民众各方面都有很快的展开。

津浦路和华北到现在弄得如此，也是意中的事。而现在我们所要研究的到是今后如何补救它的危局，要是有计划有步骤地来补救，是没有多大问题的。那么现在我们看它的缺点在什么地方，才能去补救。

到现在冀察是已经沦在敌人的铁爪下了。过去冀察政委会虽是应付敌人的一个缓冲政权，但在宋哲元氏的太过向敌人委曲求全，连自己的一点防御工事都不敢做，生怕引起敌人的误会，但不管你怎样避免敌人的借口，但等到敌人的准备好了，他还是要来进攻。想在狼的腋下苟安是不可能，终会给狼吃掉的。现在我们并不是有意责备谁，但我们不能不检讨过去，才能从血的教训里醒过来。除此外，其他在冀察政权下关于军事、政治、民众措施的失当，更可以不必说了。

最后我要特别提的几点：

（一）一般普通心理只注重军事上的胜败，不去分析它的原因，这是很不好的。我们大家要好好教育自己，认清事实，要“胜不可骄，败不可馁”。沉着去应付这伟大的时代。

（二）我们在后方做救援慰劳工作的人，不应以军事上的胜败作慰劳的标准，以为打胜仗的就去慰劳他，败退就不去理他，这是很不好的，有些军队虽然是军事上失利，但他们同样是牺牲很大的，希望民众给他更多的鼓励。我在德州的时候，曾遇到很多廿九军的下级长官和士兵，他们多是从七月七号芦沟桥事变一直作战到现在的，他们在极困苦中苦战着。最近因为华北各河泛滥，廿九军的兄弟们都半截身子浸在水里作战，因此有许多人的脚都发肿溃烂了。但他们抗战的情绪仍是很高，不愿向敌人投降，而在饥寒、病苦中战到他们流完最后的一滴血。这种情形，我们可以很不客气的批判廿九军的最高将领们在军事上和抗战上的不坚决和失策，但廿九军下级忠勇将士苦战的精神，我们是不能埋没的，应当献以最大的敬意。所以我们希望中央有机会能进一步地调廿九军到后方来训练，暂时休息一下，以调养他们的战斗力。

（三）最后再重复的说一句：我们知道山西，是挽救华北的重心，那么若是能保守山西，则华北仍旧可以挽回。所以现在敌人既然用重兵来进攻山西，我们就应该给予以严重的打击；同时在敌人兵力薄弱的地方（象津浦线），我们也要给以猛烈的反攻。

末了，我们希望中央要急速地决定整个动员计划，积极地派员帮助各地方当局去进行战时的总动员，尤其是民众动员。在目前我相信中央决不会偏顾在某一方面，同时我更相信，再没有任何地方当局，还存着保全实力观念。若是万一有这种不顾大局的人，中央也可不必有所顾忌，而予以严厉的制裁的。

大同失守的前后

我们坐汽车从太原到大同，过雁门关时汽车迂回于半山中，深感险要异常。出关后，天忽大雨，公路路基无沙石，泥深路滑，汽车牛步化，太难行了，乃不得不于深夜，停宿于怀仁。第二天早晨，又因敌机来袭，停下好几次车来躲避，到晚间才到大同。山西的公路，实在是不敢恭维！到大同后，先访太原友人介绍的平绥路局长谢宗周先生，晤谈后，参观大同车站等处被炸毁的情形。谢先生是一位很有经验能干的人，受命于军事危急的时候，弄到机车买煤的钱都没有，但是军运重要，非到各处张罗不可，这差事却有点不好应付。

到大同的第一印象是看到民众之无组织、无训练，有钱有饭吃的人们整天游游荡荡，无所事事。什么国事啦，敌人来侵啦，他们是完全不大关心的。而那些无钱无饭吃的人们，也是表现出无愁苦的样子来。有人问：为什么这样子？当此国难当头，敌人将来的时候，为什么不着急？既不谈救人，难道也不谈自救么？但同时我们也可以这样的反问：为什么不应该这样子呢？当地政府平时不注意民族思想的启发，民众组织的展开，平素不教育民众，因循苟安，怎样会希望能得到相反的结果呢！大同如此，中国之大如大同这样的地方，也不知有多多少少呢！

此外大同的住民多数是由外边来的，土著居民很少，流动性很大，大同的失与不失和他们似乎没有什么关系，他们对于大同全存着过客的态度。而且，当地的人民，过去经过很大的内战，他们大多数把这次的战争与以前的内战一样看待，所以不必怪他们对于国事之不甚关心了！

到大同时，前方的战事已经相当的吃紧，天镇、阳高已相继失陷，此地驻军虽然已开始调动和准备，但民众方面，还是和平时无大区别，糊糊涂涂，虽知大难之将至，但亦准备无法。在此地做救亡工作的“牺牲救国大同盟”的数十位特派员及当地的从事救亡工作的青年们，我同他们谈了好几次，他们对于大同都是很抱悲观。他们的工作计划，不单得不到地方官的赞助，反而遭到反对，妨害执行，使他们的计划不能实现。他们很希望从我得到一点的办法，但是这些办法，在大同失守后，我离太原时，已由阎先生自动的提出了许多，我想他们现在一定可以满意了。

大同因无防空设备，敌机都是白天轰炸，当地的人民除了走进地穴及城墙根躲避外，都是白天逃到城外偏僻的乡下，晚上再回来。白天是十室九空的死城，甚至白天在城里连饭都买不到，所有的人们大概都以一走躲之。

我到大同的第二天即访傅作义将军于城内司令部，从早到晚敌机来了好几次，我们就到防空穴内谈了好几次。司令部中人亦无不感觉民众训练工作的重要与迫切。他们曾告诉我，有一次在大同捉到一个指挥敌机轰炸的汉奸，把他送到县政府，县政府不收，送到公安局，公安局不管，又送到戒严司令部，又以该部无人负责，结果这汉奸无处可交！这不能不说是一种难得听到的怪现象！

我所认识的“牺盟”

一

现在外面很多人都知道山西有个牺牲救国同盟会，这组织可说是山西唯一的民众组织，阎锡山先生自己领导的。说到民众运动我们很容易想到应该是很广泛的，自由的由下而上的组织体，不是由一个什么先知先觉的意见，象在暖室栽花一样的东西；然而象“牺盟”所采取的这种途径，在今日的中国，民众尚未有获得自由组织的社会，有了这种东西，我们也不能忽视它的积极意义。我们对于它的发生、发展以及一切经验，似乎也不应该忽视；相反的，我们应该批判的把它介绍给全国，连“牺盟”这种组织都没有的区域。在现时现地中国民众运动发展的实践不能忘记中国实际社会与政治机构，由上而下的民众运动的方式，虽然我们不能承认它是正常的方式，但我们不能否认它是促使民众运动转变到为正常方式的一种过程，是全运动的一支流，今日的民众运动是配合着全民族的统一联合战线的最高原则下进行的，所以反映在运动的方式上也是各样的。我们一方面虽然不能不坚决的争取民众组织的自由，但也不能不重视一切带有民众训练的任何努力。由此来看“牺盟”，我们才能对它有真正的认识。“牺盟”在宣言上提出:“抗战到底！不愿做奴隶，不愿做汉奸的人都联合起来，争取中华民族的独立自由与领土完整！”以及纲领中所主张的“发展人力、物力”各点，使我们深深的感觉到，不仅在一年以前是需要的，就是站在现在民众运动本身来讲，至少在文字上是正确的。

“牺盟”当中还有一个最重要的特点，就是他们的干部工作人员的社会成分问题。据可靠的传述：说是“牺盟总会”方面，在全体六十几个人中，有五分之四是狱中人的出身。在各县一百五十多人的特派员中，有三分之二也是狱中人的出身。过去这一百四五十人，综合起来就有四百年以上的牢狱生活。从这里观察，因为“牺盟”的干部人员大半是含有前进的意识与斗争的经验，所以对于“牺盟”的本身也不知不觉就反应出一种具有革命性的组织精神。可是在另一方面，因为“牺盟”的客观环境要适合政治机构，避免大小磨擦，那由于发动抗战所加速的民众要求与政治上的许可的限度的矛盾，无疑的必然的会发生许多不可避免的困难与无法解决的缺憾。关于这一点，等我们在写出“牺盟”的组织经过、“牺盟”对于山西民运的影响与今后之发展以后，再来从叙述的顺序上讨论。

二

“牺盟”的发生，最初可说仅仅是存在于阎先生脑中的一种信念。阎先生在民国廿年“九·一八”以后，他就感到国难的严重。他常对人说，挽救危亡，国人要都能牺牲，要有以下四种精神，即肯牺牲生命，肯牺牲自由，肯牺牲体力，肯牺牲财力。阎先生以为国人如果具有此四种精神，国家一定还有可为。这种信念可说是“牺盟”发生的胚胎。“牺盟”正式创立是在廿五年的“九·一八”，实在“牺盟”无论在名义上和组织上，都是按照阎先生的信念与兴趣而构成的。“牺盟”自从二十五年“九·一八”纪念日宣言成立后，进入了实践的阶段，因为考虑当时的干部工作人员的人事不足，并避免环境上的困难，一直到十月中旬才开始进行招考政治协助员的工作，继续进行的就是武装三十万民众，动员一百万民众的“牺盟会员的征集运动”；到今天正在由军政训练委员会负责，编成了国民兵军官教导团与村县训练团，施行着严格的军政训练；同时在女学生当中配合组织了看护队和慰劳队。另外编成有抗日救亡先锋队、少年先锋队与青年抗敌敢死队。这些分别不同性质的训练组织，都在“牺盟”的“民训通则”下，过着军训政训均齐均重的组织生活。

兹将“牺盟”组织工作的发展经过依次写在下面：

1. 村政协助员。最初招考一千名，经过十月到十二月受了两个月的训练，而后分做两批派赴山西全省百零五县，一千三百个的乡村里工作的共为九百六十名。他们工作的最大成果，就是完成了六十多万人以上的牺盟会员的签名。

2. 抗日救亡先锋队的成分都是牺盟会员中的前进分子，它的全体组织成员在六万人以上。

3. 村长训练团，共编成四团，人数在四千人以上。

4. 国民兵军官教导团，共编成六团，人数在七千人以上。

5. 少年先锋队的组织，就是“牺盟”准备动员五千名志愿兵的一个训练机关，他们的入伍年龄是限于廿五岁以下十六岁以上的纯洁英勇的青年。现有的员额约在五百名以上，其余人数正在陆续征集中。

6. 青年抗敌决死队，是一个已经训练到了相当进度，不久就要派出展布一些新的组织工作的成员，他们的人数在一千三百人以上。

三

关于“牺盟”工作的本身发展，也许在“牺盟”领导中心干部和“牺盟”工作同志当中，或因有的部分感觉还不够预期的某种限度而烦闷！然而在实际上对于山西民众运动的前途，确已发生相当伟大的影响。例如：

第一，由于村政协助员在各乡村工作的效果，能使各村民众在村民大会中，用很民主的方法，选出适当的村长到太原受训的一点，可以证明“牺盟”对于山西全省民众的前进分子，已经确立了一种相当的政治信念。

第二，由于廿六年“五卅”纪念日，“牺盟”扩大宣传大会的工作，动员了一万以上的“牺盟”会员，与一万以上的太原市民众的结果，可以证明在山西现有行政机构统治下，相对的建立起民众的救亡阵线是足以反映目前山西政治环境是一个可能改善的政治背景。

第三，在大部分前进分子的中心干部领导

"牺盟"群众和推动"牺盟"工作的事实演变中，我们相信不仅是足以影响山西政治环境的改造，并且在相当的时间后，就是"牺盟"的组织工作的本身也会有很适合时代需要的一种因量变质的好现象，帮助了"牺盟"前途的发展。

基于事实的证明，我们可以看出"牺盟"的组织与工作，虽然在目前许多训练工作进行中，表现一种沉寂的空气。可是我们深信统一抗战的情势越发进展的时候，"牺盟"的本身也就越能够在时机的促使中加速它的前进。例如，在平绥线战事紧迫的十天以来——由九月初旬到九月中旬，在"牺盟"工作上已促成了"优待抗敌军人眷属条例"的公布；在"牺盟"的组织上，帮助推动了晋绥察三省抗战动员委员会的出现。从这样的实例上推证，则将来的"牺盟"对于发挥坚固统一抗战的阵容，一定有着它今后不可思议的势力。

四

总之，由上而下的群众运动，它的本身的缺点那是不可讳言的；它的发展处处要受到客观限制，这种运动在没有取得广大的群众基础前，它的最大的危险是仰承在上者的意志，随在上者的情绪、需要而现出一时冷暖的状态，或者中途宣告关门；在这运动的内部、干部间，也一定会现出上级干部与下层发生很大的矛盾，甚至生出许多内部的磨擦，这一切也常常减少工作效力。另一方面，在这运动取得较大群众基础时，因为量的增加而使在上者的恐惧，中途有使在上者取消这种运动的危险，这是官办的民运的一般的通则。他们常常记得的是要“能发能收”，即自己需要时，他可以放松一点，不要，可以象丢草鞋一样的丢掉。由这性质上所传下的先天病，我们在山西的牺盟中，也看到。不过就牺盟说，它总是较开明的组织，同时也可以说它是由上而下的民运的标本的组织，在统一战线下，那是确实值得介绍的。

至若“牺盟”发展的前途，就目前看，却是最有希望的，因为民族战争的要求，逼迫山西当局认识民众组织的重要，而在抗战展开中，"牺盟"一定不会被人遗弃，它很可在这抗战中，养育自己，发展自己，使自己突破一切限制，转变而为真正能代表大众意志的民众运动。

山东老百姓起来！保卫山东

我们这次来到山东，匆匆几日，能得此间军政教育文化各界领袖，殷勤接谈，共商国是，诚为庆幸。兹当临别之时，然仍有几句话不能不为山东全省父老兄弟诸姑姊妹一谈者。今日之山东，已至生死存亡关头，欲救山东，救中国，决非空言可以奏效，更决非徐缓的行政程序，单独的军事行动可以挽回残局者。当此激变之时，我们要有应付激变之策。作汉奸固为万世所唾骂，因循苟且，遗误国事，即令杀身成仁，亦决不能逃于清议也。为今之计，我们只有上下一心，在韩主席领导下，来一番天翻地覆的改革。我们对于当前保卫山东之策，已条陈十点，面呈韩主席，即：

一、动员全省人民保卫山东，提出老百姓

保卫山东之口号，改变过去单独军事之抗战而非全民抗战的缺点。

二、因此，号召全省民众自动的组织团体，由政府设立民运指导机关领导之，但绝对不能干涉民众合法的爱国运动。

三、迅速召集各党各派各个无党派的人团结起来，集中力量，肃清过去互相猜忌、观望、怀疑、散漫等态度，在各党各派间，建立经常联系，精神坦怀，执行公议，共赴国难。

四、在军队中加紧政治训练，迅速将现在政训处受训之学生作一两周的训练分发到军队中去。

五、举办大规模民众运动短期干部班，分发乡村，组织农民，加紧过去受过壮丁训练的壮丁政治训练。

六、武装现有的壮丁，训练游击战术，准备发动全省游击战争。

七、迅速公布优待军人家属、改善军人生活、减少一般民众负担等等法令。

八、进行铲除汉奸运动，运用民众组织布置全省反汉奸网。

九、运送招待伤兵，救济难民。

十、维持临近战区地方秩序，特别禁止工商学停业、商人投机，政府并设法统制物价等。

以上不过在此时期行政必须采取之纲目，具体实施的办法，自当由军政民众团体，会同制定，分途实现之。我们相信只有依据上面各项彻底执行各任务后，全民战争才能在山东出现，我们才能挽回这半去势了的局面，使山东不继平津之后沦于敌手。

我山东全省父老兄弟诸姑姊妹们，现在山东险状，诚是言之颤栗，我们大家要赶快起来，共撑危局，力促以上十点即日实现。我们爱护中国，爱护山东，爱护韩主席，我们要用保卫的行动，来表示我们诚心；不单是一腔热血，满腹牢骚，可以奏效的。我们今日不能再有忌讳，有欲言而不言，我们今日不能有权利之念，苟仍以权利之私遗误国家，我们全国人民将共弃之；我们今日不能再有成见，再有门户之别，我们彼此应和衷共济，互相容认；今日我们看人最高原则，就是在他抗日不抗日，看他提供国家的力量有多少，抗日最决心、提供力量最大的人即是我们的领袖，我们拥护之爱戴之；凡抗战不力，意志动摇，庸碌无能者，势必受历史无情之淘汰。山东乃中国之领土，山东全省人的祖宗坟墓之乡，山东人保卫国家，保护桑园有双重任务，当此危难，再不能不起而自救。我们相信问题的发生，一定也有解决的办法。山东人一定有打开当前局面之能力！

至若山东在抗战中所发生许多困难，需要中央以及各省民众努力的地方，我们也一定将这方面的需要的情形，带到中央及各省去。总之，我们山东以外的全国人民，均将为山东的后盾！

山东老百姓起来！山东老百姓保卫山东！

加紧上海战区的民众工作
——观察东战场后的一点感想

在抗战过程中，为了明了抗战的实践，以及军民之间，在行动上是否能够得到配合，因在西战场上作了一个多月的旅行，回到上海来，更抱着了这样的热忱，想看一下东战场抗战的实践又是怎样。

承某某军事当局的盛情，使我能有此机会，实现了这愿望。

廿二日的清晨，一个浓雾的天气，汽车就在浓雾中爬行，一小时后达到了目的地。在平时，敌机在每朝六七时就出发执行它残酷的杀人伎俩。这天，总算叨了浓雾的光，省去不少麻烦。

我们首先观察的地方，是 ×× 附近一带的乡村。在这里所见到而最能引起我们注意的，当推胡兰畦女士领导的中国劳动妇女战地服务团。因为胡女士有事回到上海来了，我们就会见了她们的秦队长秋谷，与最小的妹妹李亚芬同志。她们工作有四个目的：第一是帮助军事当局督促公务人员，从县府一直到保甲长，她们都不客气地督促这般人认真工作；第二是帮助军队整顿纪律，假若兵士一有不规则的行动，她们也是不客气地加以干涉；第三是防止汉奸，而防止的方法，是从组织民众着手，并不是消极的：第四是安抚民众，使民众能够自身了解抗战的意义，不但不对战争感到恐慌，反而在行动上能与军事完全配合。这四个目的，也许已经有人见过她们的报道，早已知悉，我们所以再把它重复地提出来，是根据我们观察的结果，认为这是目前从事民众工作者的一个极好的参考材料。

事实表现得非常有趣，当她们这种督促公务人员，监督兵士的任务，做得有了相当的成绩之后，当地民众竟对她们发生了极大的好感与信任。人民受了公务人员或是兵士的欺凌，马上就会跑到她们那里去申诉。有时兵士与人民还会象投案一般，两造相对辩护，她们的办公处俨然就是一个公堂。又因为她们对民众的感情极好，队员差不多都是劳动者出身，晴天穿草鞋，雨天就赤脚，在她们身上找不到丝毫都市的气息，见男的喊一声“老伯伯”，见女的就称一声“姆妈”，大家象一家人，一点不会使人不敢亲近。这亲热发展到了顶点，甚至人民有了一点小病，受了一点微伤，也跑去找她们，她们的办公处就又由公堂一变而为疗养院。

总之，在她们工作范围内的场所，敢说军民之间是已完全打成一片了。本来在大军云集之处，少数兵士有越轨行动，自是不可避免的事情，但经过了她们这种整顿和调解的工夫，现时已逐渐减少。军队和人民，互相间绝无麻烦可言，不但消极地能使人民安居，更可促使人民积极来帮助军事行动的开展。这情形，实在使我们不能不感到战地民众的工作迫切需要。当然，她们工作目标的正确，更是我们在决定战地民众工作的重要性之后，所应特别注意到的。

听说她们最初到达战区时，对这十位女性组织的集团，很多人表示怀疑；可是到了现在，短短的过程中，已有铁一般的事实摆在人们的面前了。据罗卓英军长对我们表示，对她们的工作就极感满意，极愿赞助，他是深切地了解到民众工作的重要。

我们这次观察东战场，从接近火线的地方起经过嘉定真茹一直到昆山，都作了一次巡礼。观察得到的结果，仍与西战场一样，最使我们感到不安的，是民众的无组织，无教育。抗战发动后，有钱的人都逃到所谓安全地带去了，留下的，只是没钱的人以及靠着田亩生活的人，前者是行不得也，后者是田里的棉花稻子牵住了他们的脚。他们固然也痛恨敌人，但对战事却漠不相关，认为只是军人的份内事。所以多数人民纵然是象平时一样的居留原地，事实告诉我们，军事行动在他们身上并得不到怎样的帮助。这是非常严重的现象。使我们痛感到在目前的战区，教育工作的重要，是超过宣传工作，战区民众学校的设立，的确迫切需要的。

再有，民众的政治组织，在战时也起了问题，我们知道，过去的民众组织，是有着很严密的系统，乡有乡长，镇有镇长，再下去就是保长、甲长，而这些又是由于区长、县长所统率着的，组织不能说不严密了。可是战端一开，乡长、镇长，因为他们都是中产阶级，就都抱着他们的财产，于战事爆发中，迁到火线数百里外的邻近城乡中去。有的地方，甚至县长、区长也有暂时逃避的。即有不逃避者，一部分做了汉奸。听说战区中就曾经发现过好几个身任乡镇长的汉奸。比较上保甲长还算好，逃走的也较少，不过仍与前面所提到的情形一样，因为他们都是一般小地主，眼看着自己将收割的田产，为了生活而无法离开，决不是因为了解自己的责任。因此，过去一切保甲的组织工作，就等于一场空，逃的逃了；不逃的，即令不做汉奸，也与军事行动起不了什么配合的作用。在这上面，就充分显示出过去民众组织的不够，甚至可说是错误。为求补救这缺点，赶快发动真正的民众组织，自发的民众组织，又是我们这次观察时所深切感到的。

我们在报上，看到许多消息，仿佛战区的民众工作已有很多人在实行，但据我们观察所得，却认为只不过刚是一个开始，更谈不上普遍。我们经过的地方，觉得处处地方需要有人去做民众工作，但少见有人在实地去做。从劳动妇女战地服务团工作的区域内，使我们领略到了一些民众工作效果的伟大。而且根据她们的经验，我们认为这工作，并不十分困难，重心完全集中到吃苦一点上。在这些时候，“多重实际，少发空论”两句话，当我们踏进了战区之后，每经过一村一庄，由于事实的教训，不禁时常浮上心头。

我们也曾与军事领袖谈到许多前方的军事情形，某总司令说：在抗战的最前线，武装同志的壮烈，真足以惊天地而泣鬼神；受了伤的，誓死不肯退下来；倘有一据点失了守，负责守这据点的军队，就认为是极大耻辱，不肯报告上级长官，而由自己拼命再把它夺回来；人人都为了民族解放战争而尽忠效命。这几句话，不啻就是昭示我们：全面抗战！在军事上是已有了保证，那么，配合军事行动的民众工作，恐怕这责任，在我们肩上就更加重了吧！

“加紧发动上海战区的民众工作”，当我们从战场回到上海后，第一个感想是如此，第二个是如此，第三个还是如此。

廿六年十月廿五日

上海战区的教育问题

视察华北战区，使我们感到最大不安的，是民众的无组织，无教育；最近视察了上海战区，使我们感到最大不安的，仍然是民众的无组织，无教育。这严重的战区教育问题，横贯了我们南北两战场。

抗战一发动，人民能逃的都远走高飞了，就是走不了的，军事也不能得到他们在行动上来配合，反而里面蕴藏着许多汉奸，影响军事的顺利开展。

教育也完全停顿了。根据我们视察所得，临近火线的地方，姑置勿论，奇怪地是比较后方的城市，象嘉定、昆山、南翔一带，都已谈不到教育。甚至听说苏州都陷于半停顿状态，这更令人愕然！

人民的无组织无教育如此，而教育工作者反抛弃了他们的责任，我们对此，感到在上海战区有赶快施行特种教育的必要，以适应当前的迫切需求。

我们认为，在战区所看到的穷苦人民，他们的本质，不见得会低于知识分子，也许竟然超过。他们中间，固然也产生有汉奸，但总还没有到完全做汉奸的一步，虽则我们可以拿敌人工作做得不够来解释这现象，想总不应该忘掉另一方面的事实，这般穷苦人民在本质上是有着民族观念的遗留，会直觉地仇视敌人，而使敌人无从实施其鬼蜮伎俩。他们的本质，的确是良善的，只可惜过去没有丝毫的机会，使他们领受到训练，抗战发动了两个月，还是领受不到训练，结果本质就仍然是本质，无法启发而充分表现于行动上。所以我们觉得问题倒不在可能不可能，而是在做不做。倘然有人谈组织民众，这种启发民众固有的良善本质，使其充分表现到行动上去的教育工作，据我们在华北和上海战区的实际体会，就应该是组织民众的最低限度的目的。换句话说，不谈组织民众则已，谈则就应从这种教育工作入手。只要有人苦干，效果是能在短时间内见到的，因为可能的因素我们已经把握住了。

我们敢说，在都会里训练少爷小姐，时间即使延长到一年两年，我们不敢一定说有把握，而在战区训练这些穷苦农民，一二月，甚至二周时间，我们却敢担保它就能收到成效。我们曾在战区观察过胡兰畦女士领导的劳动妇女战地服务团，据她们的经验，她们目前所做的工作，其实并未完全达到组织民众教育民众的目的，不过态度比较对人民亲切点，以极少的人力（她们只有十位团员），极短的时间（出发至今不过三周），就已产生了极大的效果，这是我们亲眼看到的，足够说明训练战区农民的有把握。

这种战区特种教育的方式，当然最基本的是民众学校。关于这方面，我在《战区民众教育计划大纲》一文中，已经提供了些关于此种学校组织的意见，在这篇短文里，我只想来说明战区教育工作的应该做，容易做。尤其是在上海的民众工作，无论在报纸上是怎样热闹得锣鼓喧天，实际上只不过是一个开始，因为在战区，就很少见有人在脚踏实地的做。我们视察华北战区后，感到有施行这种战区特种教育的必要，我们已经决定在山西津浦各线马上开始筹备实地工作。这次视察了上海战区，同样感到有这需要，因此，我们也希望能够联合一般有志于前线工作的友人，把这刚开始的民众工作，在教育方面大规模地发动起来。

我们还觉得，从事战区民众工作的人们，应该有两个最高的目的，同时也是最低的目的。在未被敌人占领的区域，消极方面，应该做到人民不会被骗当汉奸；积极方面，人民的行动，要能自发地与军事配合，更能进一步直接帮助军事的开展。不幸这地方沦陷敌手，做了敌人的后方了，我们应该做到使这般人民，在消极方面，虽处敌人的铁蹄蹂躏下，仍能誓死不做顺民；在积极方面，还能运用他们已经养成的熟练技术，或是组织游击队，扰乱敌人的后方，或是利用工作环境的方便，传递情报，或是做我军的内应，夹攻敌人，使敌势趋于崩溃，进而收复失地。就目前说，我们无疑是应该达到第一个目的：即使军事后退了，我们既准备焦土抗战，当然早应准备有这么一天来临。我们对第二个目的，就也不得不作一番最大的准备。所以这两个目的，在我们看来，是很平常的，要是不能达到这地步，试问我们所做的工作，还有什么意义？由此申论，我们从事教育工作的最终目的，就是在此；我们为什么要实施教育工作，其原因也是在此；因为实现这些目的，都是属于教育范畴之内的事。

假若不能达到这些目的，我们所做的工作，就不能算成功；抛弃了这些目的，我们所做的工作，就陷于空虚！

战区民众教育计划大纲

从华北战区视察后，我们感到最大不安的，是民众的无组织、无教育。一个平日很繁华的地方，只要战端一开，全体人民大多数马上即变成难民，有钱的固然能老早迁到安全地带；中产的人，至少也能在战事爆发中，迁到离开火线数百里外邻城乡中去住；大多数的穷苦人民，即令迫不得已，避开火线，但逃去的范围，常只数十里以内。他们携带包裹，准备在野外，或亲属故旧家中，暂时躲避几天，希望炮火稍停，即赶归故里。故于战区中，即令是临近前线，我们常常发现小小村落，竹篱茅舍中，尚有人家存在。

根据我们在战区看到的情景，战区简直是没有教育的，不用说临近火线，即比较后方的城市，大中小学都无形停顿；这是非常严重的现象。为了配合长期的抗战，继续发动民众作殊死战，我们就全国规模说，应当有新的适合于战时的教育系统；为了适应战区地方情况，旧的教育系统，施教内容，既不合于当前，又不能配合战争作灵活的运用，我们的确有在战区创设特种教育的必要。

这种特种教育完全是配合军事，为了动员群众的要求，在各战区普遍创设。它与军队中的政治工作，战地动员委员会等组织在独立的系统，密切的联络下，分工合作。这种教育的方式，最基本的是民众学校。

我们先拟出这一个大纲，希望一切有志于前线工作的友人，大家起来讨论。同时已决于山西，津浦路各线，马上开始筹备实地工作。也希望有人来和我们合作，或自动的按照本大纲，与各战区军政机关取得联络，在各战区分别创立起来，各战区民众学校间的联络，将来在工作上完成之。那时再形成全国总的组织。

大纲

一、战区民众学校为战区民众教育一种组织。

二、战区民众学校创设于战区内，它直接受

战区动员委员会或军事机关之指导。

三、战区民众学校，以战时特种教育训练战区民众，组织战区民众并帮助战区动员委员会或军事机关征集志愿兵，武装民众为宗旨。

四、战区民众学校，暂在各战区的中心地带创设总校，在战区各地成立分校，或训练班，巡回教育班，宣传队等。

五、战区民众学校的课程

（一）军事训练。

1. 一般军事训练。

2. 游击战术。

（二）救护训练。

（三）防空防毒训练。

（四）反间谍训练。

（五）政治训练。

1. 时事解释。

2. 当前救亡政策与策略及战术。

3. 民族解放的理论。

4. 政治经济常识。

六、班次时间：分普通班——二周、一月、二月三种；特别班——干部班（时间另订）；流动班，纯用口头宣传不用固定时间。

七、学生不分性别、年龄，但依识字不识字而分配文字训练班、口头训练班。

八、不收任何费用，并供给必需的教育用品。

九、经费。

1. 由战区军政地方机关分拨。

2. 自由捐款。

3. 各文化机关捐赠图书用品。

十、教员。

1. 当地热心救国知识分子。

2. 当地驻军。

3. 国内有志赴前方工作的知识青年。

救济难民工作计划大纲

全民族抗战的局面，已经展开，救济难民的事业，变为当前最最迫切的要求。为了减少政府领导作战的分心，减少对于军事上的妨碍，巩固后防，提高战时生产效率，我们对于这广大的被难同胞，都应有最良善周全的处置办法，使难民不仅不白白的消耗物力而变为提供物力，不仅不妨碍军事而反有助于军事；不仅不扰乱后防而且加强后防：这一伟大的事业，实在是刻不容缓的事。

我们本匹夫有责之义，敬就我们所感到的作出以下的《救济难民工作计划大纲》，亟盼政府以及现有之救济机关加以注意；同时并根据此项计划，即赴前线，与国民政府赈务委员会及军事委员会战地服务团合作，从事考察，立即试行实际工作。

（一）对于救济难民事业，一般人常视为与救济灾荒无异，是一种消极的救济事业。如施放粮食、发钱遣散、供给面包等，殊不知此仅一时治标的办法，不能认为达到这一目的，即谓已尽救济之能事；并且在全国抗战的局面的扩大，战区的推广，被难同胞时有增加，此项救济，一天天变为巨大的消耗，在经济上将成为不可能。由于以上的观念，所以[1]

（二）将难民看作一种战时的国家的重累，忽视了这广大的人民，原是生产的人民，在战时仍然可以从事生产，仍然是国家生产上的一种生产力。

（三）因此，对于难民待遇，除救死外，等于禁闭，无意想到加以组织，给予教育，以致一团漫无组织的人群，在军事地带内，成为军事工作的障碍；并时有被敌人利用其中的不良分子作汉奸的危险。

（四）所以救济事业，多是视作临时应付的工作；事业举办，多系局部的性质，缺乏全般的规划。

（五）随着抗战的展开，难民救济事业成为当前一个最严重的问题：在观念上，我们要赶快改变这种消极观念，成为一种积极的事业，要把它看作整个抗战中后

[1] 原文如此。——编者注

防工作最重要的一部分。

（六）救济工作是有系统的、有计划的全国事业，在一定的程序上进行的工作。在当前我们一方面要整埋已有的救济工作，调整各个救济机关，同时准备沿海一带有发生战争可能的地方，作有计划、有秩序的撤退老弱妇孺到安全地带及组织壮丁的工作。

（七）将已有的救济机关中的工匠、汽车夫、有军事经验的人，提拔出来，以供军用；将其他壮丁移到后方，安置到各种生产中去，国家可利用这些劳动力创设国防经济事业，如修筑铁路、公路、开矿、开垦、植林等。并准备有战争爆发可能地带的壮丁移殖事业，如过去政府对于失业回国的侨胞创设侨乐村等一样，在西北、两湖、两广及四川等处设置许多新事业，安插难胞。

（八）将已有的难民迅速开始组织，将一切有战争爆发可能地带迅速布置反间谍网，防止穷苦同胞被敌人利用，作汉奸活动，同时肃清敌人在我后方捣乱。

（九）教育一切有战争爆发可能的地带的壮丁，一切战时知识，准备在一个地方一时陷落后，从事破坏敌人，牵制敌人的工作；并由当地军事机关指导他们作游击战争。

（十）普遍的灌输防空防毒的必要常识。

（十一）普遍的推进当前国难宣传教育工作，提高民族意识。

（十二）有效的给予被难同胞生活上一切问题的帮助，如疾病、生育、教育、死亡等。

（十三）普遍的对于卫生医药的设备并救济。

（十四）我们愿将此项计划贡献全国赈务委员会、各地已成立之救济难民机关，同时我们暂时的工作目的地及初步的工作为：

1. 先赴已爆发战争的地带如沧州、保定、张家口等地方，考察已有的难民机关及救济状况，并与当地赈务委员会取得联络，按本计划进行以上的工作；

2. 随后赴有发生战争可能的地方积极筹划救济的准备工作；

3. 在战区与战地服务团联络，从事当前紧急救济工作，并组织与教育工作。

（十五）基于本工作大纲，再当详定各部工作细则，并实际的每月工作纲领，每一地方的工作纲领。

附　录

民族革命战争战地总动员委员会工作纲领

（一）为了争取民族革命战争的胜利，依据第二战区司令长官命令，在司令长官行营直辖之下，设立民族革命战争战地总动员委员会。以雁门关长城内外二十三县（即天镇、阳高、大同、怀仁、广灵、灵丘、浑源、应县、山阴、朔县、平鲁、左云、右玉、繁峙、代县、宁武、神池、偏关），察南五县（蔚县、阳原、怀安、宣化、涿鹿）及绥远全省，为本会管辖地域及动员范围。本会并得依战时情况的变动，随时扩大动员范围及管辖地域。

（二）民族革命战争战地总动员委员会，负责在上述地区内，执行下列任务：

1. 动员新兵上前线。

2. 组织人民自卫队（办法另定）。

3. 动员粮秣运输。

4. 运送和招待伤病人员。

5. 组织人民团体。

6. 组织战地的侦察敌情，封锁消息，战地准备。

7. 进行铲除汉奸运动。根据上述任务，第二战区司令长官行营得向总动员委员会提出各个时期内的任务，由动员会依据可能，制定具体办法，负责实施。

（三）为保障此地动员委员会顺利完成上述任务，由司令长官行营严令战区各级政府执行下列各项：

甲、积极组织民众、训练民众、武装民众。

1. 扶植并保障人民抗日的结社集会之自由。

2. 扶植并保障人民抗日的言论出版之自

由。

3. 积极唤起民众、训练民众、挑选积极勇敢分子，发给枪械。

乙、实行合理的负担，改善人民生活。

1. 在动员中坚决的实现有钱的出钱，大家拼命的原则。

2. 实行减租减息并救济失业与灾民。

3. 改善工农劳苦大众的劳动条件及生活待遇。

4. 免除过去的一切摊派，剔除中饱。

5. 坚决的实行合理的负担。

6. 坚决实行已颁布的“优待抗战军人家属条例”。

丙、动员应采取积极的宣传、说服，发动广大群众的自动性，反对强迫。

丁、由司令长官行营严令各军执行优待新兵夫役办法，爱护牲口车辆保证其物质供给，禁止打骂虐待，违者严惩不贷，牲口车辆如有损坏者应付价赔偿。夫役因公遭受伤亡者，应给予抚恤。

（四）战地总动员委员会的组织原则如下：

甲、各级（县，区，村）战地总动员委员会以民主集中为组织原则，凡上级动员委员会应绝对遵行。在各级动员委员会中，讨论和决定工作时允许充分之讨论，但决定时应少数服从多数。

乙、战地动员委员会之组织应包含下列人员：

1. 各省政府代表。

2. 各战地军队代表。

3. 各有关民众团体代表。

县区一级战地委员会应有：（1）县政府区公所之代表；（2）民众团体代表，村动员委员会中应有民众选举之过半数代表参加。

丙、各级动员委员会设正主任委员一人，副主任委员一人，并以五——七人，为常务委员，由动员会全体委员选举之。

丁、各级动员委员会下均设立下列各部处：

1. 组织部。

2. 宣传部。

3. 人民武装部。

4. 动员分配部。

5. 铲除汉奸部。

6. 总务处。

各处均设正副部长各一人。部之下设科；各科设干事若干人，由委员会通过命令之，详细办法另定。

戊、征调与分配干部应不分地域、信仰、地位，以集中人才为标准。

（五）为便利各级动员委员会与各方面之关系规定如下：

甲、与各地政府之关系。

1. 举凡在战地动员委员会管辖之下的各县区村一切战时动员工作，统由各级动员委员会负责实现，各级政府应积极协助，不得阻抗或破坏。

2. 凡一切与战地动员工作有关之事件，各县政府区公所村公所应服从战地动员委员会之规定，但战地动员委员会不得干涉各级政府的经常行政工作。

3. 如有阻抗或破坏战时动员工作者，各级政府应协同战委会惩罚之。

乙、与各部队的关系。

1. 战地动员委员会只向司令长官行营负责，其动员计划系依据司令长官行营之命令实现。战区各部队得在总计划之下向各级战委会提出要求（粮秣新兵夫役等），但不得干涉动员事务。

2. 战地各军应给各级动员委员会以各种必要之帮助。

3. 战地各军队如对各级战委会的工作有意见时，应通知各该地的上级动员委员会或呈报司令长官行营改变或纠正之，不得擅自干涉。

4. 战地部队如有阻碍或破坏战时动员者，各级动员委员会具报该部队上级机关，或司令长官行营要求纠正。

丙、与各群众团体关系。

1. 各级群众团体得选举代表，参加动员委员会，协助动员工作。

2. 战地动员委员会应尊重各群众团体之独立。

3. 各群众团体之代表如有阻碍动员事宜之事实，各团体得要求撤回另派。

民族革命战争各县区总动员委员会组织条例

本大纲依据民族革命战争战地总动员委员会组织条例第十三条订定之。

本会除执行上级命令办理总动员事务外，并负责筹办关于本县总动员一切事务。

本会设委员会，由县长区长及县区主张公道团，军队代表、民众团体、工会、农会不能有限制，牺牲救国同盟会各一人，当地驻军代表及有关民众团体代表若干组成之。

上项民众团体代表由各该团体选举之。

前条委员会设正副主任委员经理本会一切事务，由委员会互选指定之；并互推三人至五人为常务委员处理本会日常会务。

本处设下列各部处：

1. 组织部　办理组织村、区、委员会及民众团结事宜。

2. 宣传部　办理一切宣传事宜。

3. 人民武装部　办理自卫队之组织训练及指挥作战保、卫地方等事宜。

4. 动员分配部　办理动员新兵及筹办粮食、伤病兵运输、救济难民等事宜。

5. 铲除汉奸部　办理侦缉及审讯汉奸敌探等事宜。

6. 总务处　办理文书、庶务、会计及不属其他各部之事宜。

前条各部处设正副部长或处长各一人，由委员会推选之；各部处设干事若干人，由各该部处提出，由委员会通过任用，并呈报上级委员会备案。

本会办事细则另定之。

本条例自令发到县之日施行。

民族革命战争战地总动员委员会组织简章

一、本简章依据民族革命战争战地总动员委员会工作纲领第四条订定之。

二、本会直辖于第二战区司令长官行营。

三、本会设委员若干人，由下列人员充任之。

（一）山西省政府代表一人，绥远省政府代表一人，察哈尔省政府代表一人。

（二）战地各军代表各一人。

（三）主张公道团、牺牲救国同盟会代表各一人，学联、教联代表各一人。

（四）由本会推荐若干人，呈请司令官指派之。

四、前条委员会委员推选七人为常务委员，处理本会日常事务，并由司令长官就常务委员中指定正副主任委员各一人，经理本会一切事务。

五、本会设立下列各部处：

A 组织部

B 宣传部

C 人民武装部

D 动员分配部

E 铲除汉奸部

F 总务部

六、组织部设下列各科：

A 组织科 管理干部选拔、训练、分配及指导组织县区村委员会及人民团体事宜。

B 宣传科 办理调查统计，考核县区村民众及人民团体等事宜。

七、宣传部设下列各科：

A 编辑科 办理各科宣传品及编辑图书图画等事宜。

B 宣传科 办理指导县区村委员会宣传

事宜。

八、人民武装部设下列各科：

A 组训科 办理组织人民训练、武装自卫事宜。

B 作战科 办理指挥作战、坚壁清野、侦察敌情、封锁消息及保卫地方等事宜。

九、动员分配部设下列各科：

A 经济动员科 办理实行合理负担，改善人民生活等事宜。

B 救护科 办理收容及救护伤兵、病兵、难民等事宜。

十、铲除汉奸部设下列各科：

A 情报科 办理侦察、报告汉奸及敌探活动情形等事宜。

B 侦缉科 办理指挥侦捕等事宜。

C 审讯科 办理审讯、处办汉奸敌探等事宜。

十一、总务处设下列各科：

A　文书科　办理典字印信、收发函电等事宜。

B　庶务科　办理购置、保管、杂务等事宜。

C　会计科　办理款项出纳等事宜。

十二、前第六条至第十一条各科各设科长一人，干事若干人，由各该部处提出，由委员会通过任用之。

十三、县区村委员会之组织大纲另定之。

十四、本简章由本委员会通过，经司令长官核准后施行。

人民自卫队组织条例

一、为普遍加强人民自卫的能力准备与进行抗日的游击战争，并武装民众直接参加抗战，特组织人民自卫队。

二、人民自卫队不论在敌军后方战区或我军后方，均应普遍的进行组织，特别着重于战区。

三、人民自卫队的任务如下：

A　配合抗日军队作战。

B　进行游击战争。

C　侦察警戒封锁消息。

D　维持地方治安，镇压汉奸活动，捕捉敌探间谍。

E　传达消息，运送军需及伤兵。

F　破坏敌军交通，维持我军交通，坚壁清野，协助我军构筑工事。

四、凡年在十六岁以上五十岁以下之人民，没有疾病者，不分男女均得参加自卫队为队员，以不脱离生产为原则。

五、自卫队之编制如下：

A　小队——由队员五人至十五人组织之，设正副小队长各一人。

B　中队——二小队至四小队组织一中队，设正副中队长各一人，政治指导员一人，干事若干人辅助之。

C　大队——二中队至四中队组织一大队，设正副大队长各一人，政治指导员一人，干事若干人辅助之。

D　每一县有自卫队三大队以上，即成立支队部，正副支队长各一人，政治组主任一人，干事若干人辅助之。

E　支队以上以区为单位，设自卫队指挥部，设正副指挥各一人，政治部正副主任各一人，参谋及政治干事若干人组织之。

六、自卫队以村为单位，成立小队或中队；以镇为单位成立中队或大队；以县为单位成立支队。

七、自卫队之中队长及小队长均由挑选，大队长以上的干部均由指挥部选派，政治干部均由政治部选派，各区指挥部由战地动员委员会各区之人民自卫部兼任之。

八、女队员单独编为小队或中队，不与男队员混合；未满十六岁之儿童编为儿童自卫团，在支队部之下附设儿童部指挥之。

九、大队以上之自卫队干部，须脱离生产，由指挥部酌给津贴。

十、自卫队之武装如下：

A　快枪——由政府发给或调集地方原来武装。

B　大刀——由政府发给或发动人民自造。

C　梭标——发动人民出钱自造。

D　其他武器——发动人民自行预备。

十一、自卫队之训练如下：

A　军事训练——站队、集合、散开、新旧武器使用、侦察、警戒、防空、防毒、救伤、行军运输、简单的战斗动作、游击战术与军事常识等。

B　政治训练——民族革命的一般常识，宣传组织民众的方法，政治动员，军事纪律，文化娱乐等。

C　平常训练时间——以村为单位，每星期集合训练一二次，每次一二小时；以区为单位，每半月集合训练一次，每次半天或一天；战区训练时间，依实况另定之。

十二、自卫队之纪律如下：

A　坚决抗日救国。

B　听命令服指挥。

C　不扰民，与人民联合一致。

十三、自卫队之待遇如下：

A 集中训练在一天以上时，队员的膳宿由队部供给。

B 队员因公被派出差在一天以上者，由队部酌给津贴及伙食费。

C 队员受伤者，由队部负责医治。

D 队员因公牺牲者，由部队或呈请政府给予抚恤。

E 队员因奉命随队远出服务、家庭因而发生困难者，由本村人民负责维持。

十四、自卫队的经费由下列方法筹措之：

A 政府的津贴。

B 没收日本帝国主义及汉奸的全部财产中之一部。

C 在当地有钱人中筹募。

D 自卫队之经费，每月须将收入支出向队员及人民公布，完全公开。

十五、本条例自颁布之日起施行。

民族革命战争战地总动员委员会第一期工作计划
——从九月二十三日至十月底止

（一）估计到可能的范围内，本委会在第一期的中心，应放在下列的工作上：

甲、适当的配备干部，将区县村各级组织建立起来，力求其健全。依据战况，首先应尽可能在每县树立一个模范的区，每区树立几个模范的村，以影响与摇动其他各个地区，并普遍组织工会、农民协会、商会、学生会等民众团体作为动员群众之骨干。

乙、建立各级的宣传系统，经过广泛而深入的宣传鼓动工作，动员群众为本会的纲领而斗争。

丙、在中心地区，建立人民自卫队的组织；在敌人占领区域或作战地区中心是组织游击队，发展游击战事按照各地实际情形决定之；各游击队枪支呈请司令长官发给之。

丁、初步的实现合理的负担与改善人民生活。

戊、组织救护站，收容与转送零散之伤病兵。

己、改善军民关系，一方面向各军积极提出具体之意见，一方面则在于尽可能的协同各地政府解决各军之困难。

庚、开始动员新兵工作。

辛、在战争直接区域立即实行坚壁清野，在其他区域深入宣传坚壁清野之意义。

壬、建立严密的侦察组织并造成群众的

铲除汉奸运动。

（二）为着工作上之便利，特于总动员委员之下，按照实际情形划分为下列各区：

甲、以浑源、应县、山阴、大同、天镇、阳高、怀仁等七县为第一区。

乙、以广灵、灵丘、繁峙等三县为第二区。

丙、以左云、右玉、平鲁、翔县等四县为第三区。

丁、以神池、宁武、偏关等三县为第四区。

戊、以察南五县为第五区。

己、以绥东各县为第六区。

庚、以绥西各县为第七区。

辛、以代县为总动员委员会之直辖县。

上述各区工作范围及管辖地区得依照战况变动随时扩大之，每区各设特派员一人、办事人员若干人管辖之，并设立人民自卫队之指挥部。

（三）依据本期的中心工作，各部应实施之工作如下：

甲、组织部

1. 在九月底前，须将第一批必须工作人员（至少六十人）选拔分配各地，派出之前，须将工作方针讨论清楚。

2. 在十月中旬应将第二批工作人员训练完毕，按照当时需要分配出去。

3. 立即招收自愿进行游击战争的干部二百人，给予短期训练，分发各游击队部工作。

4. 在调查科之下设立巡视员十人以上，负责考检与帮助各地区的工作，并须于十月初旬出发，限期回会报告。

乙、宣传部

1. 立即依照本会纲领制定宣传大纲和传单、画报，提出适当口号。

2. 与各民众团体协商组织临时剧团，赴前线各部队及在城乡民众中表演和宣传。

3. 组织各工作地区的通讯，在各报发

表。

丙、人民武装部

1. 尚未处于直接战争区域，每县至少成立三个大队以上的自卫军。

2. 在已被敌人占领或直辖战争区域，每县至少有一游击队并开在敌人后方侧翼活动，配合我军作战。

3. 协同组织部训练与准备二百以上的游击队干部。

4. 在直接作战区域，立即实行坚壁清野，未直接作战区域立即准备这一工作。

5. 在各民众自卫队中，选择适宜队员组织侦探队，担任侦探敌情工作，并事先给予相当训练。

6. 在各战区立即实行地方戒严，拟定戒严办法，呈请司令长官命令公布。

丁、动员分配部

1. 起草减租减息法令，战区各县实行

免除田赋及一切摊派，并依据具体情况，以定合理负担，实施方案呈请司令长官颁布之。

2. 普遍发展民众团体，讨论改善人民生活办法，并切实公布。

3. 组织劝募队，向富有者劝募粮秣、金钱及其他用品，帮助前线军队救济难民、灾民及优待抗日军人家属。

4. 组织战区与敌人占领区域的难民收容所，每区至少一至二个，并经其他各地组织救护队，分散各作战部队服务。

5. 切实检查与督促“优待抗日军人家属条例”执行，组织抗战军人家属的经常会议。

6. 在本期内动员两千新兵上前线。

7. 协助政府进行征雇车辆骡马等事宜，并保证给予相当代价。

8. 建立经常的运输队，帮助运输粮秣、

伤病兵，首先在各交通干线组织。

戊、铲除汉奸部

1. 立即收集汉奸活动方法及阴谋，向群众作深入的除奸动员和宣传。

2. 制定惩办汉奸条例，呈请司令长官颁布。

3. 指导战区各地铲除汉奸工作，并端正其方向。

己、总务处

1. 制定本会各级之预算，提交委员会通过。

2. 建立本会与各区县之灵敏的交通联络网。

（四）密切本会与各军、与民众之关系：

甲、派员与各军联络，要求其协助本会之进行此一工作，由常委负责。

乙、各地召集军民联欢大会，联络军民感情，由宣传部负责。

（五）本会各级之组织务须短小精干，工作务须紧张迅速，并建立严格的工作检查制度，以收工作之实效；对于民众的动员的工作应建筑在说服宣传的基础上而不应有任何的强迫方式。

（六）各部应根据本计划作出本部之工作程序。

优待抗战军人家属办法

一、抗战军人是为国家争生存、为民族争气节，是中华民族的优秀分子，是民族英雄，应受全民族的尊崇，其家属亦应受优待，为实行优待起见，特制定本办法。

二、凡参加抗战之军人，不论正规军、少年先锋队、决死队、旧役或新调，其家属均得依本办法优待之。

三、凡抗战军人，应免其直系亲属服公役之义务。

四、抗战军人之家庭，不负担任何作战临时摊派（自公布本办法后新增之作战时摊派）。

五、抗战军人之子女及依靠其生活之弟妹学费，与本人将来退伍后之入学学费一律免缴。

六、抗战军人之家属在廿六年九月前负担之债务，得展至抗敌战争停止后偿还之，其负债利息，有超过年利一分者，以一分计算之。

七、抗战军人之家庭所租之地，准减租四分之一；在抗战期间地主不得收回自耕或转租他人。

八、抗战军人之家庭，所佃耕之地，准按照原订份额增加三分之一；在抗战期间，地主不得收回自耕或转佃他人。

九、抗战军人之家属有病时，公医院免费治疗，私医院半价治疗。

十、抗战军人之家庭有婚丧事故、灾害疾病等，本街村人家，应竭力协助及救护。

十一、县区村行政人员、公道团及“牺盟会”人员，应会同地方士绅，组织慰劳团体，分赴各抗战军人家庭，作诚恳慰劳并照护。

十二、本办法自太原绥靖公署山西省政府会令公布之日施行。

三联经典文库第二辑简目

《游击战教程》　明凡 / 著

《游击战术纲要》　陶剑青 / 编著

《汪精卫卖国的理论与实践》　钱俊瑞 / 著

《抗战以来》　韬奋 / 著

《陕行纪实》　楚云 / 著

《随军散记》　沙汀 / 著

《被日寇囚系半载记》　王研石 / 著

《倭营历险记》　房沧浪 / 著

《活跃的新西北》　田影 / 编著

《保卫华北的游击战》　刘清扬　陈北鸥等 / 著

《徐州突围》　《徐州突围》编委会 / 编

《沦亡的平津》　长江　小方等 / 著

《淞沪火线上》　胡兰畦等 / 著

《瞻回东战场》　长江　罗平 / 著

《东线的撤退》　胡兰畦等 / 著

《抗战中的西北》　徐盈 / 著

《鲁闽风云》　徐盈等 / 著

《西线生活》　西北战地服务团集体创作

《中国解放区见闻》　[美]福尔曼著 / 朱进译

《全面抗战论》　潘汉年 / 著

《日本的间谍》　范士白自述 / 尊闻译

《日本大陆政策的真面目》　国难资料编辑社 / 编

《民众动员论》　李公朴 / 著

《中国外交史》　钱亦石 / 编著

《太平洋军事地理》　蒋震华 / 著

《世界经济地理讲话》　思慕 / 著

《列强军力论》　［德］马克斯 · 威纳尔著 / 宾符　仲持　梅益等译

《近代国际关系史》　张铁生 / 著

《太平洋现势手册》　沈志远　石啸冲 / 编著

《近代世界政治史》　钱亦石 / 著

《从战争到和平——一九四五年的世界政治》　乔木 / 著

《战后日本问题》　思慕 / 著

《最近一年间的国际动态（1946.7–1947.6)》　《东北日报》社 / 编

《论政党》　翟放 / 著

《法与宪法》　韩幽桐 / 编著

《中华民国宪法刍议》　罗家衡 / 著

《民主 · 宪法 · 人权——作之民》　费孝通 / 著

《宪法论初步》　潘念之 / 著

《对反民主的抗争》　韬奋 / 著

《农村改进的理论与实际》　江恒源 / 著

《上海产业与上海职工》（上下）　朱邦兴　胡林阁　徐声 / 合编

《陶行知教育论文选辑》　陶行知著 / 方与严编

《中国通货膨胀论》　杨培新 / 著

《中国及其未完成的革命》　H・普拉特著 / 蒋天佐译

《中国的建设问题与人的训练》　卢作孚 / 著

《论中国特殊性及其他》　艾思奇 / 著

《中国经济问题讲话》　钱俊瑞　徐雪寒　王渔邨　姜君辰　骆耕漠 / 合著

《中国经济的道路》　许涤新 / 著

《中国财政之病态及其批判》　孙怀仁 / 著

《官僚资本论》　许涤新 / 著

《五四运动之史的评价》　陈端志 / 著

《中国通史简编》(上下)　中国历史研究会　范文澜 / 主编

《论文学的工农兵方向——读〈在延安文艺座谈会上的讲话〉》　雪苇 / 著

《中国近代史（上编　第一分册)》　武波 / 编著

《文学百题》　傅东华 / 编

《中国史学之进化》　周谷城 / 著

《论民族形式问题》　胡风 / 著

《论批评》　荃麟等 / 著

《中国史纲》(第一卷上下、第二卷上下)　翦伯赞 / 著

《近代中国思想学说史》(1–4)　侯外庐 / 著

《中国政治思想史》(上下)　吕振羽 / 著

《中国哲学史纲要》　向林冰 / 著

《中国政治史讲话》　钱亦石 / 著

《中国社会经济史纲》　王渔邨 / 著

《新财政学大纲》　千家驹 / 著

《太平天国革命运动论文集——金田起义百周年纪念》

华北大学历史研究室 / 编

《理性与自由——文化思想批评论文集》　胡绳 / 著

《战斗者的诗人》　黄药眠 / 著

《国语文法》　曹朴 / 著

《教育哲学》　张栗原 / 著

《妇女问题讲话》　杜君慧 / 著

《婚姻 · 子女 · 继承》　沙千里 / 著

《性教育新论》　布士克　雅各生合著 / 董秋斯译

《狱中杂感》　杜重远 / 著

《七人之狱》　沙千里 / 著

《爱迪生传》　伍况甫 / 译

《歌德自传》（上下）　歌德著 / 思慕译

《尼赫鲁自传》　[印度] 尼赫鲁著 / 毕来译

《列宁传》　[苏] 凯尔任采夫著 / 企程　朔望译

《罗斯福总统传》　C. Mackenzie 著 / 张尚之译

《托尔斯泰传》（1–3）　[英] 阿尔麦 · 莫德著 / 徐迟译

《革命文豪高尔基》　[美] 亚历山大 · 康恩著 / 韬奋编译

《鲁迅纪念特辑》　新中国文艺社 / 编

《回忆鲁迅先生》　萧红 / 著

《人民文豪鲁迅》　平心 / 著

《亡友鲁迅印象记》　许寿裳 / 著

《鲁迅思想研究》　何干之 / 著

《鲁迅研究》　夏征农 / 编

《过来的时代：鲁迅论及其他》　雪峰 / 著

《电影戏剧表演术》　洪深 / 著

《日常心理漫谈》　[美] 约瑟夫·查斯特罗著 / 曾宝菡译

《心理常识漫话》　朱智贤　杨云美 / 著

《读书的方法与经验》　王任叔 / 著

《美国黑人生活纪实》　[美] 加德维尔　斯坦倍克著 / 董秋斯译

《初访美国》　费孝通 / 著

《事业与成功》　[美] 马尔腾著 / 汪原放译

《萍踪寄语（初集）》　韬奋 / 著

《一生的幸福前途——〈生活周刊〉信箱选集》　生活书店 / 编选

《深刻的印象》　生活周刊社 / 编

《海外的感受》　生活书店编译所 / 编

ISBN 978-7-108-04756-4
9 787108 047564 >
定价：18.00元